엄마와 아기가 행복한 육아

아기를 위한 꿀팁!

실전편

"아기는 엄마의 미소 속에서 세상의 아름다움을 발견하고,
엄마는 아기의 웃음 속에서 행복을 얻습니다."

내가 엄마가 되기 전에는

내가 엄마가 되기 전에는 언제나
식기 전에 밥을 먹었었다.
얼룩 묻은 옷을 입은 적도 없었고
전화로 조용히 대화를 나눌 시간이 있었다.

내가 엄마가 되기 전에는
원하는 만큼 잠을 잘 수 있었고
늦도록 책을 읽을 수 있었다.
날마다 머리를 빗고 화장을 했다.

날마다 집을 치웠었다.
장난감에 걸려 넘어진 적도 없었고,
자장가는 오래전에 잊었었다.
내가 엄마가 되기 전에는
어떤 풀에 독이 있는지 신경 쓰지 않았었다.
예방 주사에 대해선 생각도 하지 않았었다.

누가 나에게 토하고, 내 급소를 때리고
침을 뱉고, 머리카락을 잡아당기고
이빨로 깨물고, 오줌을 싸고
손가락으로 나를 꼬집은 적은 한 번도 없었다

\- 중간 생략 -

아이가 깰까봐 언제까지나
두 팔로 안고 있었던 적이 없었다.
아이가 아플 때 대신 아파 줄 수가 없어서
가슴이 찢어진 적이 없었다.
그토록 작은 존재가 그토록 많이 내 삶에
영향을 미칠 줄 생각조차 하지 않았었다.
내가 누군가를 그토록 사랑하게 될 줄
결코 알지 못했었다.

내 자신이 엄마가 되는 것을
그토록 행복하게 여길 줄 미처 알지 못했었다.
내 몸 밖에 또 다른 나의 심장을 갖는 것이
어떤 기분일지 몰랐었다.
아이에게 젖을 먹이는 것이
얼마나 특별한 감정인지 몰랐었다.

한 아이의 엄마가 되는 그 기쁨,
그 가슴 아픔,
그 경이로움,
그 성취감을 결코 알지 못했었다.
그토록 많은 감정들을.
내가 엄마가 되기 전에는.

류시화의 <사랑하라 한번도 상처받지 않은 것처럼> 에 수록

저자 소개

전문 산후관리사의 교육을 받고, 다년간 아기와 엄마들을 만나면서 두 자녀를 영재로 키워낸 육아의 경험과 노하우를 전수했다.

이 과정에서 초보 엄마들이 아기를 어떻게 길러야 할지에 대한 개념과 지식의 부재를 알게 되고, '다른 산모들도 이런 내용들을 알면 좋겠어요.'라는 엄마들의 얘기를 계속 듣게 되었다.

엄마들은 물론, 내 두 아들에게, 조카들에게, 직접 만나지 못한 분들께도 전달해 주고 싶어 이 책을 쓰게 됐다.

육아의 첫 단추를 잘 끼우는 것은 매우 중요하며, '아는 게 힘이다.'라는 속담처럼 육아에 대한 지식과 이해가 있다면 육아는 더욱 수월하게 진행될 수 있으며, 육아 자신감도 붙게 될 거라 믿는다.

또 '울지 않게 목욕시키는 법'에서처럼 '교육은 양육자의 생각이 아닌 아기 입장에서 이루어져야 한다.'는 신념으로 이프랜드 밋업 50회차 강의를 해오고 있다.

이프랜드 캐릭터 이미지

▣ 채성희 (양마마)

◑ 부모교육상담사 자격증 취득

◑ 부모코칭지도사 자격증 취득

◑ 산후관리사 자격증 취득

◑ 베이비시터 심화과정 수료

◑ 전문 산후관리사 교육 수료,

◑ 모유수유 전문가 과정 수료,

◑ 2015 전문 산모·신생아 건강관리서비스 교육과정 수료

◑ VIP 산후관리사 교육 수료

◈ 저서 : 전자책

엄마와 아기가 행복한 육아 (아기를 위한_실전편Ⅰ)

엄마와 아기가 행복한 육아 (아기를 위한_실전편Ⅱ)

엄마와 아기가 행복한 육아 (엄마를 위한_실전편Ⅲ)

◈ 공저 : 전자책_ <지금 잘하고 있어>, <작가의 시선>

◈ 이프랜드 인플루언서_ 육아 Meet Up 51회차 강의 중

◈ 브런치 스토리 작가_ 채성희

◈ MKYU 수석장학생

◈ 큐리어스_서포터즈 3기

◈ 커뮤니티 활동_ 리챌, 이프모닝, 꿈만사, 내바시 회원

이프딱 리더

◈ 북클럽_ 온앤오프, 꿈만사책방, 파이클럽

프롤로그

아기의 놀라운 세계,
그 특별함을 알아가는 행복한 육아의 시작!

아기들은 그들만의 매력적인 외모와 아주 독특한 개성을 지니고 태어난다. 갓 태어난 아기의 작은 몸의 구조 속에는 놀라운 힘이 숨어있다. 그리고 그 특별함을 전달하여 어른들의 마음을 단번에 매료시키며 사로잡는다.

지금 이 순간, 아기의 놀라운 세계에 발을 들였다.

아기는 엄청난 생명력과 인간이 간직한 믿음의 씨앗이다. 이 작은 존재들은 세상을 탐험하면서 섬세한 감지력과 호기심으로 가득 차 있다.

우리는 아기의 개성을 인정하고, 특별함을 배우고, 독특함을 이해하기 위해 '함께하는 행복한 육아의 여정'을 시작한다. 그 여정에서 아기의 사랑스러움을 발견하며, 엄마·아빠의 무한한 관심과 솜털 같은 포근한 사랑으로 매일 성장한다.

이 책은 단순한 육아서적이 아닌 두 자녀를 영재로 키워낸 엄마이자 다년간의 전문적인 산후관리사로서의 경험과 노하우, 꿀팁 등을 이론적인 지식과 현장에서 겪고 느낀 것들을 접목하여 실었다. 또 육아에 대해 배워야 할 것들을 안내하며, 아기의 성장과 발달 과정에 엄마와 가족 모두 행복을 느끼게 될 것이다.

고학력시대, 엄마들은 자신의 전공과목에 대해서는 우수하지만, 아이러니하게도 육아에 대한 정보나 지식은 아주 미흡한 상태로 출산한다. 그래서 너나 할 것 없이 신생아를 돌보는 것에 대해 어려워하고, 당황해하며, 힘들어한다.
그럴 때마다 찾아보게 되는 인터넷 검색은 유용하게 활용할 때도 있지만, 잘못된 정보를 찾아주기도 하기에 옳은 내용인지 감별하기는 더더욱 어렵다. 그렇다고 30여 년 전에 육아하셨던 친정엄마에게 여쭤보기도 그렇고, 시엄마에게 조언을 구하기도 싫다. 가장 도움이 되는 것은 뭐니 해도 전문적인 책일 것이다.

'육아도 아는 만큼 쉬워진다.'

아이가 처음 이 닦는 것을 배울 때 칫솔 잡는 법은 물론, 칫솔질하는 방법을 몰라 미숙하기 짝이 없다. 이는 다급한 엄마의 마음을 동동거리게 한다. 배우고 익힐수록 잘 닦겠다고 의식하지 않아도 척척 해낸다.

이처럼 육아도 처음에는 어렵고 모르는 것들로 가득 차 있지만, 필요한 지식과 경험을 통해 배울수록 성장하는 과정에서 대처 능력도 생기게 된다. 이에 따라 육아에 대한 걱정보다 점차 해볼 만하다는 자신감을 느끼게 되며, 이는 엄마 자신의 자존감까지 연결되어 행복을 맛보게 될 것이다.

'첫 단추를 잘 끼워야 한다.'

100세 시대, 앞으로 태어나는 아기는 120, 150살까지 살 거라 한다. 육아의 시작이 얼마나 중요할지를 짐작하고도 남음이다. 전문가들은 두뇌그릇은 생후 6개월이면 완성되고, 두뇌의 성장은 3세까지 80%, 6세까지 90%가 완성된다고 말한다.

머리 좋은 아이를 키우는 것이 목표가 아니다. 아이가 커서 미래에 대한 꿈을 꾸고, 그것을 이룰 수 있는 역량을 키워주는 것이 부모의 역할이다.

육아는 우리 아이들의 성장과 발달을 위한 기반이 되는 핵심적인 역할을 수행한다. 따라서 올바른 방향으로 시작해야 하고, 정서적 안정과 편안함을 제공하여야 한다. 첫 단추를 제대로 끼우는 것이 필수이다. 이는 우리 아이들의 행복과 미래가 직결되기 때문이다.

이 책은 전자책으로 출간된 <엄마와 아기가 행복한 육아> (아기를 위한_실전편Ⅰ,Ⅱ와 엄마를 위한_실전편Ⅲ) 3권의 시리즈 중에 (아기를 위한_실전편Ⅰ,Ⅱ)를 묶어서 출간된다.

급변하는 디지털 세상에 **엄마와 아기가 모두 행복해지는 육아**, 가슴 따뜻한 21세기형 영재 육아법과 디지털세대의 아날로그 육아, 행복한 아이를 위한 애착 육아를 강조하였다. 또한 다양한 주제로 다뤄졌으며, 엄마와 아기가 발전하고 성장하는 기회를 만들 수 있다.

새롭게 시작되는 육아의 여정은 도전적일 수도 있겠지만, 그 안에서 당신은 무엇보다도 배우는 현명함과 사랑과 배려로 가득 찬 부모가 될 것이다. 그리고 일상을 건강하고 행복함으로 가득 채울 것이다.

당신은 이미 멋진 부모입니다! 우리 함께 해요!

by 채성희

✦ 차례

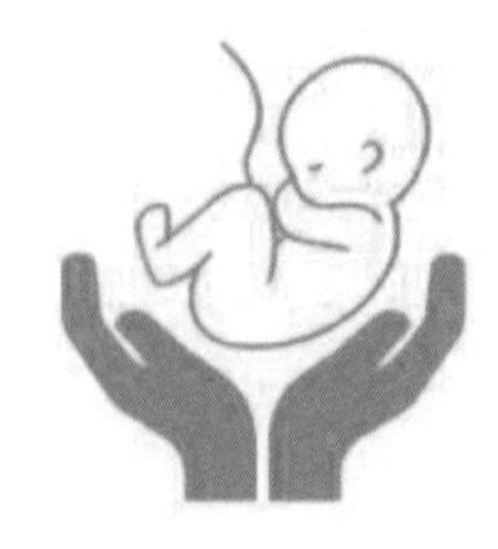

Chapter 2. 신생아 증상

Chapter 3. 신생아 목욕 및 청결 관리

Chapter 4. 모유의 신비

Chapter 5. 모유 수유

Chapter 6. 분유 먹이기와 대처법

- 실전편 Ⅱ -

♠ 아기를 위한 꿀팁 Ⅱ

Chapter 1. 애착형성의 시작

Chapter 2. 아기 돌봄과 관리

Chapter 3. 엄마의 유연성과 융통성

Chapter 4. 아기에게 전하는 무한한 사랑

자녀를 영재로 키운
전직 산후관리사가 전하는

육아 실전수업 및 꿀팁

육아도 아는 만큼 쉬워진다.
'첫 단추를 잘 끼워야 한다.'

Chapter 1

신생아의 특징

- 작지만 강인한 몸의 구조
- 매력적인 외모를 전달하는 특별함
- 생명력과 인간이 간직한 믿음의 씨앗
- 섬세한 감지력의 호기심 가득한 탐험
- 두뇌 발달을 위한 오감 자극 교육법 7가지

작지만 강인한 몸의 구조

세상에 첫발을 내민 작은 천사는 우리에게 태어남의 기쁨과 기적을 선사하며, 탄생 그대로의 아름다움으로 어른들의 마음을 단번에 사로잡는다. 투명하고 불그스레한 피부와 보드라운 솜털 같은 머리카락은 더욱더 사랑스럽게 만든다.

작지만 강인한 몸은 손가락 하나하나까지 확실하게 움직인다. 이는 아기의 성장과 발달에 대한 무한한 가능성을 상징하며, 귀여움과 보호욕구를 담아내기에 충분하다.

갓 태어난 아기는 매우 특별한 존재이고, 놀라운 능력과 잠재력을 지니고 있으며, 신체는 점점 변화하면서 외모와 기능 면에서 큰 발전을 이루게 될 것이다.

1. 신생아 구분

1) **저체중아** - 임신 일수와 관계없이 출생체중 2.5kg 이하의 아기
2) **거대아** - 출생체중이 4.5kg 이상인 아기
3) **미숙아** - 임신 37주 이전에 출생한 아기
4) **만삭아** - 임신 38주에서 42주까지 출생한 아기
5) **과숙아** - 임신 43주 이후에 출생한 아기

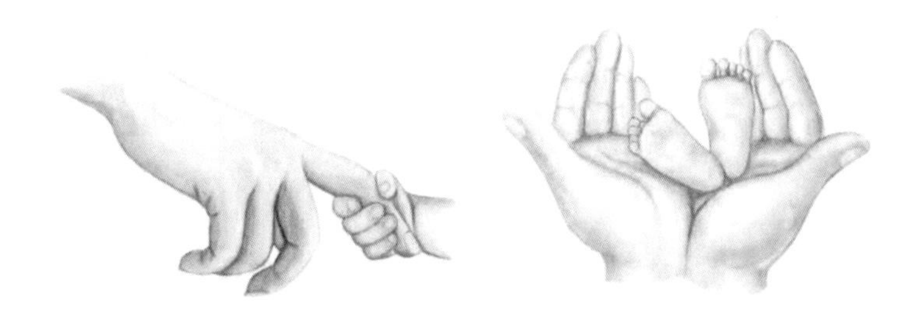

신생아란 출생 후부터 **생후 28일(4주간)까지**를 말한다. 엄마 뱃속에 있던 태아가 밖으로 나오는 찰나부터 임신의 영향은 사라지고, **자궁 외 생활**을 할 수 있는 능력을 마칠 때까지의 영아이다.
신생아 기간에 자궁 안에서 **산소와 영양**을 자동으로 받던 상태에서 **자력으로 호흡**하고, 있는 힘껏 엄마 젖을 빨거나 분유로 영양을 섭취함으로써 **태외생활 적응**을 마치게 된다.

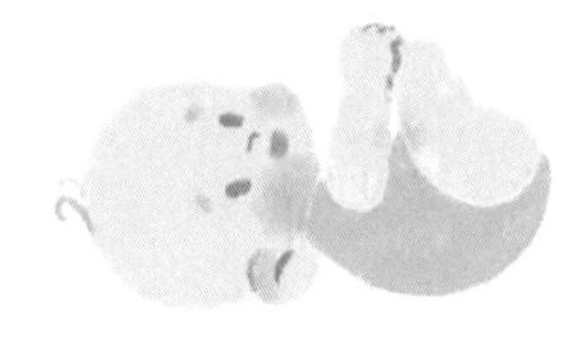

2. 신생아의 평균 체중/신장(키)

갓 태어난 아기의 **체중**은 보통 3.0~3.7kg이다. 평균적으로 남자아기가 여자아기보다 무거우며, 평균 **신장**은 약 50cm **전·후**이다.

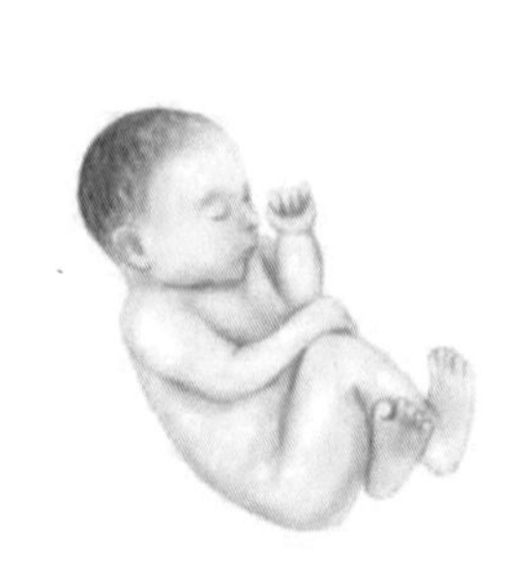
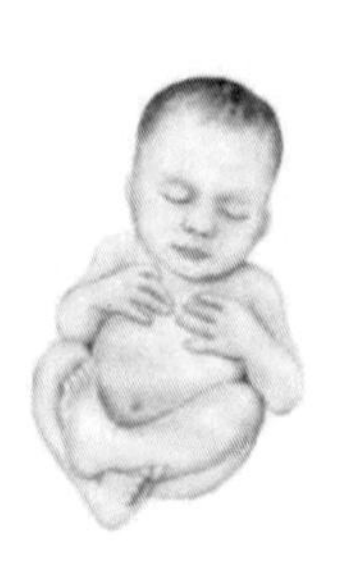

◆ 아기 출생 시 평균 몸무게와 키

구 분	몸무게	신장(키)
남자아기 평균	3.41kg	50.12cm
여자아기 평균	3.29kg	49.35cm

3. 신생아의 신체적 특징

갓 태어난 아기의 키(신장)는 약 50cm 정도로 머리둘레가 가슴둘레보다 2~3cm 큰 것이 특징이다.

아기 **체중은** 보통 3kg 정도이며, 남자아기가 여자아기보다 더 나간다. 태아가 양수 속에서 자라다 태어나서 생후 3~4일 정도에 일시적으로 체중이 줄어든다. 이는 출생 후 양수가 마르고 모체 속에서 누지 않은 소변과 대변을 배출했기 때문으로 이를 '**생리적 체중 감소**'라고 한다.

머리는 몸통의 1/3, 머리둘레가 35cm 정도로 몸 둘레 중 가장 넓다. 머리모양이 일그러진 경우는 좁은 산도를 빠져나왔기 때문으로 걱정하지 않아도 차츰 둥근 모양이 된다.

머리카락은 개인차가 매우 크다. 덥수룩하고 새까만 색을 띠며 굵은 머리카락을 갖고 태어난 아기가 있는가 하면, 머리카락이 듬성듬성 너무 짧고 피부색과 같아 자세히 봐야 하는 경우도 있다. 생후 3주까지는 머리카락이 많이 빠지고 다시 나므로 걱정하지 않아도 된다.

신생아의 **눈은** 사물을 거의 볼 수 없다. 눈앞 사물을 20cm **정도까지** 볼 수 있으며, 움직이는 물체를 잠깐 쫓을 수도 있다. 그리고 눈동자를 사시처럼 서로 다른 방향으로 움직이기도 한다. 모든 것이 미숙한 시기이기 때문이다.

양마마의 꿀팁 !

♠ 엄마 마음은 다 같을 거예요. 우리 아이가 뒤처지지 않고 똑똑하기를 바라지요. 이런 마음에서 아직 사물을 또렷이 볼 수 없는 아기에게 모빌을 달아주고, 초점 카드 등을 열심히 보여줍니다. 멀면 안 보여요. 이왕이면 흑백 기하학적 무늬로 15~20cm 가까이 보여주세요.

아기 **코는** 엄마의 젖 냄새를 기억한다. 냄새나는 쪽으로 고개를 돌릴 만큼 후각이 민감하다. 여러 가지 냄새를 맡는 것은 두뇌를 자극하는 좋은 재료가 된다. 또 **입**은 입술 주위와 혀의 감각이 잘 발달되어 있다.

귀의 청각은 비교적 빨리 발달하여 임신 6개월 정도면 바깥소리와 엄마의 소리를 구분할 수 있고, **손**은 주먹을 쥐고 있는데 아기의 손바닥에 손을 갖다 대면 손가락에 힘을 주며 꽉 잡는다.

가슴은 태어난 직후에는 머리둘레가 더 크지만 생후1개월 후부터는 가슴둘레가 더 커진다. **배꼽**도 생후 일주일이면 배꼽 꼭지가 떨어진다.

아기 **다리는** 엄마 뱃속에서 자궁 내벽을 따라 쪼그리고 있어 개구리 같은 O형으로 구부러져 있고, **몸통**의 배는 볼록하게 부풀어 있으며, 사지는 굽혀져 있다.

피부는 불그스름하며, 태지로 덮여 있지만 3~4일 지나면 저절로 벗겨진다.

아기 엉덩이의 **파란 점**이 간혹 목덜미나 눈썹 사이에 있는 경우도 있지만, 금세 없어지기 때문에 걱정하지 않아도 된다.

양마마의 꿀팁 !

♠ 빨간색 혈관종이 있는 경우는 크면 90% 이상 없어져요.
하지만 흑색점은 갑자기 커지면서 악성종양으로 변할 수 있으니 꾸준한 관찰이 요구됩니다.
만약 흑색점이 커지면 꼭 의사에게 문의하세요.

4. 사람의 뇌 발달 속도

아기의 **뇌**는 **25% 유전 + 75% 엄마와의 접촉(외부자극)**이 있어야 발달한다.

뇌 발달을 위해 영·유아 시기에 충분한 보호를 받는 환경에서 적절한 영양공급이 이루어지고, 스트레스를 받지 않게 해주며, 충분한 잠을 자게 해주어야 한다. 아기 뇌 발달의 비법을 한마디로 말하면 양육자의 **관심과 사랑**이다.

신생아의 **뇌**는 발달이 미숙하나 아주 왕성하게 자라는 중이다. 전문가마다 약간의 견해 차이는 있지만 **두뇌그릇**은 **6개월**이면 완성되고, 아기의 뇌 발달은 **생후 1년까지가 매우 중요**하며,

3살까지 80%, 6살까지 90% 정도 발달한다고 한다.

◆ 뇌 발달 속도와 외부자극

시 기	성장률	누계	외부자극(양마마의 생각)
태어날 때	25%	25%	음악과 책 읽기 등으로 태교하고
6개월까지	25%	50%	더 많이 안아주고, 말을 많이 해주고
1년까지	10%	60%	더 보고, 듣고, 맛보게 하고
3년까지	20%	80%	더 많이 놀게 하고
6년까지	10%	90%	더 많이 칭찬해주고
20살까지	10%	100%	더 많이 사랑해주자.

뇌 발달 속도는 전문가마다 다소의 견해 차이가 있다.

미국 유명 대학에서 동물학 및 해부학 강의를 하고, 생물학 학장직을 맡았던 스캐몬 박사의 **'스캐몬의 성장 곡선'**을 보면 연령별 두뇌, 신체, 성, 림프계의 나이에 따른 성장 발달 정도를 시각적으로 보여주기 위해 [아래] 그래프로 작성되어 있다.

스캐몬 박사는 인간의 뇌발달은 몸이나 성과는 달리 **6세까지 90%가 발달**하며, **12세가 되면 100%로 완성**된다고 발표하였다.

위의 표<뇌 발달 속도>와 아래 그래프<스캐몬의 성장 곡선>에서 확인한 바와 같이 두뇌 발달을 위해서는 시기가 매우 중요하다. 이 결정적인 시기를 놓쳐버리면 다시 돌아오지 않는다. **영·유아 시기의 두뇌가 평생** 가기 때문이다.

아기가 자라서 자신의 꿈을 꾸고 뭔가를 하고자 할 때, 그것을 할 수 있게끔 큰 **두뇌그릇**과 좋은 **두뇌**를 만들어주는 것은 오롯이 부모에게 달렸다라고 말할 수 있다. 왜냐하면 두뇌발달은 어렸을 때 완성되기 때문이다.

당신의 자녀가 **21세기형 창의적인 인재**로 자라기를 원한다면 태교는 물론이거니와 **태어나는 순간부터** 적절한 **외부자극**을 줘야 한다는 것을 강조한다.

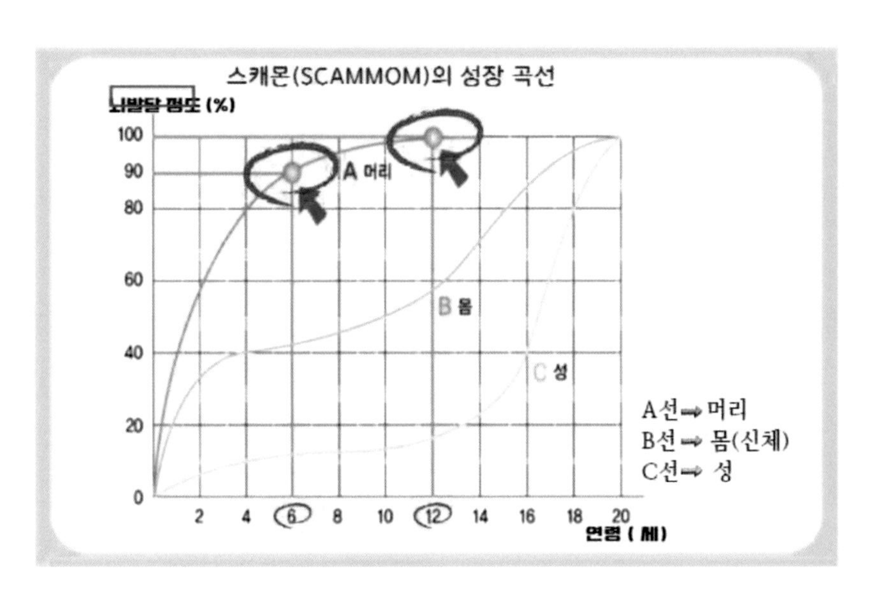

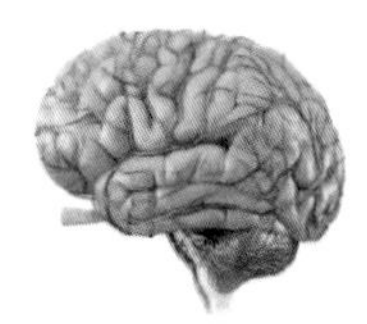

매력적인 외모를 전달하는 특별함

신생아의 생리적 특징은 매력적이고 독특하다. 이 작고 소중한 아기들은 우리의 세상에 새로운 숨결을 불어 넣으며, 신비로운 변화와 기능을 갖추고 있다.

신생아의 몸은 섬세하면서도 놀라운 적응 능력을 지니고 있다. 심장은 작은 만큼 활발히 뛰고, 자체적인 체온 조절 기능도 가지고 있다. 이러한 생리적 특징들은 마치 예술작품처럼 경이로움을 선사하며, 시선과 관심을 불러일으킨다.

아기는 엄마 뱃속과는 전혀 다른 환경에서 울음소리와 함께 태어난다. 이 순간부터 자력으로 호흡해야 하고, 젖도 빨아 영양을 섭취해야 하며, 체온조절은 물론 대소변에도 적응해야 한다.

갓 태어난 아기가 대견하게도 너무 다른 환경에 잘 견디고, 순응하며, 엄청난 적응력을 발휘하는 것을 보면 어른으로서 정말 놀라울 뿐이다.

1. 신생아의 생리적 특징

신생아 **체온**은 어른보다 0.5~1℃가 높은 36.7~37.5℃ 정도이며, 체온조절 기능이 발달하지 않아 온도변화에 민감하기 때문에 각별히 신경 써줘야 한다.

갓 태어난 아기의 **수면**은 **하루 18~20시간** 이상 잠을 잔다. 밤낮 구별 없이 먹고 자고를 반복하며, 낮과 밤이 뒤바뀌는 경우 흔하다. 백일을 전후해 수면 습관이 안정되며 밤낮을 구분하게 된다. 이때 좋은 수면습관의 기초가 되도록 낮에는 밝은 곳에서 밤에는 어두운 곳에서 재우는 것이 아주 중요하다.

양마마의 꿀팁 !

♠ 아기의 수면시간

- 신생아 : 16~20시간
- 1~3개월 : 15~18시간
- 4~6개월 : 밤에 10~12시간 자며,
  낮에 2~3시간씩 2번 잠을 잡니다.

신생아는 깨어있는 시간이 점차 늘어나며, 혼자 노는 시간도 늘어난다. 또 잠투정도 늘어나는데 이유는 감정표현이 더 풍부해졌기 때문이다. 아기의 감정을 이해해 주고 이에 따른 반응을 잘해주는 게 좋다.

아기수면 중 50%는 렘수면(급속안구운동과 꿈꾸는 상태) 상태이다. 만 2살 반까지 인간의 뇌의 시냅스(뇌 신경세포 연접부) 생성과 강화가 집중적으로 이뤄지며, 특히 **렘수면 상태가 뇌 성장에 결정적인 기여**를 하는 것으로 밝혀졌다. 이때 뇌는 폭발적으로 성장한다.

인간은 잠을 자야 생존할 수 있다. 깨어있는 동안 뇌 신경세포의 유전자와 단백질 등에 손상을 입는데 이런 손상 잔류물이 쌓여 뇌 질환을 유발한다. 수면은 뇌 조직의 상처 난 부위를 복구하고 손상 잔류물을 제거하는 데 도움을 준다.
엄마·아빠는 아기가 충분히 잘 수 있도록 쾌적한 집안환경과 배부른 수유, 수유간격(텀)등을 잘 잡아주어 통잠을 재울 수 있게 노력해야 한다.

아기는 **복식호흡**을 하며, 갓 태어난 아기는 호흡 조절 기능이 미숙해 호흡수가 불규칙하다. 2~3일이 지나면 **1분에 40~50번** 정도로 안정된다. 또 **맥박은** 어른보다 2배 가까이 빠른 **1분에 120번** 정도 뛴다.

신생아의 대표적인 특징 중 하나인 **딸꾹질**은 **횡격막이 미숙**하고, 호흡작용을 보조하는 근육이 갑자기 수축하면서 딸꾹질 소리가 난다. 서둘러 젖을 먹일 때도 그럴 수 있으니 아래 꿀팁을 읽어 보고 적절히 대처한다.

양마마의 꿀팁 !

♠ 아기가 딸꾹질하면 대부분의 엄마는 무조건 모자를 씌워줍니다. 모자를 쓴 아기는 아주 싫은 표정을 지으며 고개까지 흔들지요. 딸꾹질의 원인은 횡격막의 미숙 이외에도 아주 많습니다. 기저귀를 갈아주느라 체온이 떨어져서 딸꾹질하는 것이 아니라면 가만히 두어도 잠시 후에 자연히 멈추지요. 아마 엄마 뱃속에서도 딸꾹질을 많이 했을 거예요. 아기가 싫어하는 것 굳이 하지 말자고요. ^^

신생아가 귀엽게 하는 **재채기**는 코 점막과 기능이 아직 덜 발달한 탓이다. 아기는 조금만 건조하거나 먼지가 떠다니면 민감하게 반응한다. 세균, 바이러스, 기온변화에도 재채기하며, 코털이 작은 아기는 성인보다 자주 한다.

재채기는 신체에 침투하는 것을 막아주는 역할을 한다. 아기의 재채기가 잦을 때는 환기를 자주 시켜준다. 이불은 햇볕에 말린 후 집 먼지와 진드기를 털어준다.

신생아의 **배설은** 태어나서 3~4일 사이 짙은 녹색의 태변(배내똥)을 본다. 장기가 기능적으로 완벽하지 못한 상태다. 이 때문에 장내의 탄수화물을 분해하는 효소가 일시적으로 부족해 발효작용을 한다. 이로 인해 장내를 산성으로 만들어 변의 색깔이 녹색이 되는 것이다. 점차 노란색 묽은 변으로 변한다.

양마마의 꿀팁 !

♠요즘은 분유회사 사이트에 들어가서 아기 변을 찍은 사진을 올리면 변의 상태를 감별해 줍니다. 가벼운 증상이면 병원에 가지 않고 아기의 건강 상태를 알 수 있어서 편리하더군요. 활용하면 좋겠지요. 온라인 디지털 세상입니다.

2. 아기의 기초체온 알아보기

아기의 **기초체온**은 일반적으로 섭씨 **36.5도에서 37.5도 사이**다. 아기의 체온은 체온 조절 능력이 아직 완전히 발달하지 않았기 때문에 보다 신경 써줘야 한다.

계절과 실내 온도에 맞는 적절한 옷차림, 생활공간의 쾌적한 온도와 습도조절, 부드럽고 통풍성 좋은 소재의 이불이나 침대 시트를 선택한다. 이불은 너무 두꺼운 것보다 **얇고 가벼운 것**이 좋다.

아기를 시원하게 해줘야 할지 따뜻하게 해줘야 할지 엄마들은 무척 궁금해 한다. 체온이 높은 아기에게 한 겹 더 입히거나 실내 온도를 더 높게 하면 짜증을 내며 자주 칭얼거리고 깊은 잠도 못 잔다. 그래서 적정 온도(습도)를 맞춰주는 것은 부모나 아기의 건강을 위해서 매우 중요하다.

아기를 위한 적정온도는 계절별로 다르다. 봄,가을은 23~26℃ (습도50~60%), 여름은 19~22℃ (습도50~60%), 겨울은 24~28℃ (습도60~65%) 정도로 맞춘다.

신생아의 **체온**은 어른보다 **0.5~1℃가** 더 **높기 때문**에 어른들보다 더 시원하게 해주고, 엄마·아빠는 얇은 한 겹을 껴입는 것이 현명하다 하겠다.

정확한 체온 측정을 위해 전용 체온계를 사용하며, 필요할 때마다 아기의 체온을 확인해야 한다. 만약 아기가 너무 추워하거나 더워한다고 생각되면, 즉시 안전하고 편안한 상태로 돌려주어야 한다.

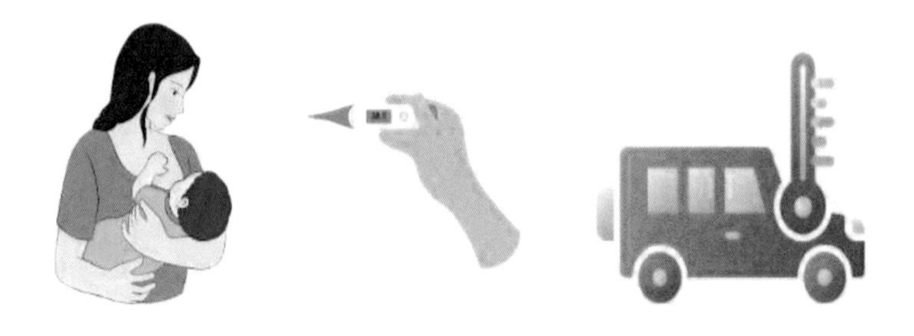

아기의 기초체온을 안다면 캐어하는데 많은 도움이 될 것이다.

기초체온 재는 법은 **일정한 시간**에 **한쪽 귀**(같은 쪽)의 체온을 **연속 3일** 정도 재어보면 알 수 있다. 체온이 낮으면 더 따뜻하게, 높으면 더 시원하게 해주어 아기를 편안하게 해주어라.

체온은 대체로 남아가 여아보다 더 높은 편이었다. 기초체온에 따라 **체온 조절이 미숙한 아기**에게 얇은 이불을 덮어주거나 두꺼운 이불을 덮어주어 언제나 쾌적함을 유지해 준다.

◆ 신생아의 기초체온 범위

성 별	낮은편	중간	높은편
여	36.6~36.8℃	36.9~37.0℃	37.1~37.2℃
남	36.8~37.0℃	37.1~37.3℃	37.4~37.5℃

(산후관리를 하며 여러 아기를 만나 터득한 내용으로 약간의 차이는 있을 수 있다)

생명력과 인간이 간직한 믿음의 씨앗

신생아의 주요 반사는 작은 마술과 같다. 탄생 직후부터 자연스럽게 나타나는 움직임으로 우리를 놀라게도 하고, 귀여움과 사랑스러움을 한아름 선사한다.

아기들의 생존반사와 특수반사는 경이로움과 기쁨, 웃음과 감탄을 불러일으키게 하여 그들만의 매력적인 모습에 흠뻑 빠지게 한다.

신생아의 반사운동은 이 세상에 살아갈 생존에 필요한 능력이다. **생존반사**와 의식적인 운동으로 발전되는 **특수반사**로 크게 나뉜다.

생애 초기에 하는 자동적이고 무의식적인 행동으로 특정 자극에 의해 반응을 보이기도 하며, 잠을 자던 중이나 가만히 있다가도 움찔하는 행동을 하면 초보 엄마·아빠들은 많이 놀란다.

육아는 아는 만큼 쉬워지고, 알면 깜깜한 길에 등불을 들고 가는 것과 같아서 앞이 보이고, 아기의 행동을 이해하게 되며, 동시에 육아의 자신감도 얻게 된다.

1. 신생아의 생존반사

1) **찾기 반사** - 뭔가 뺨에 닿으면 그쪽으로 입을 벌리고 고개를 돌린다.
2) **빨기 반사** - 무의식적으로 젖이나 입 주위의 것을 빤다.
3) **기침, 재채기, 하품** - 생리적 기능을 유지하는 데 유용한 반사이다.
4) **위축, 동공, 눈 깜박이기** - 신생아를 위험으로부터 보호해 주는 반사이다.

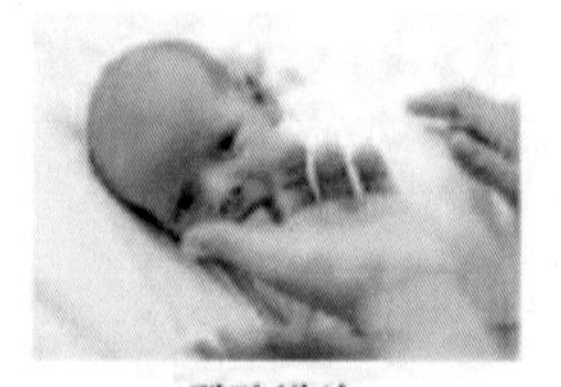
빨기 반사

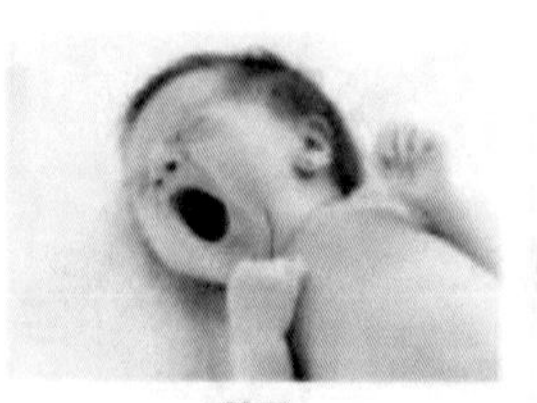
하품

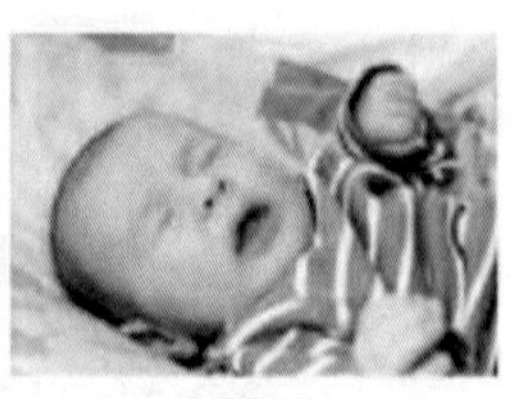
재채기

2. 신생아의 특수반사

다음 중 무릎반사를 제외한 모든 반사는 생후 1년 이내에 사라지고 아기의 성숙함에 따라 의식적인 운동으로 변한다.

바빈스키 반사는 아기의 발가락을 간질거리면 발등 위쪽으로 부챗살처럼 펴고, **파악 반사**는 손바닥을 누르면 꽉 쥔다.

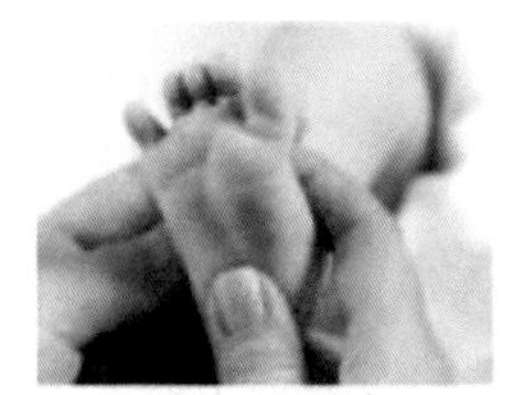
바빈스키 반사

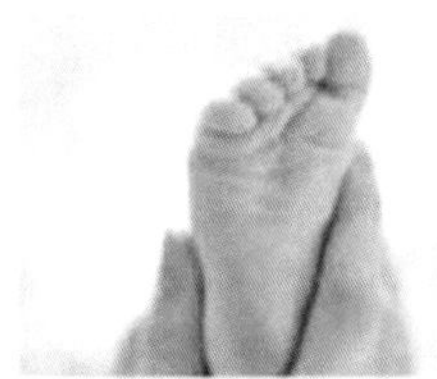

파악 반사

걷기 반사는 갓난아기를 들어 올려 발이 바닥에 닿게 하면 발을 번갈아 짚으며 걷는 것과 유사한 움직임이 나타난다.

수영 반사는 아기의 배 부분을 수평으로 받쳐주면 팔과 다리를 교대로 움직이며 입으로 숨을 쉬어 마치 수영하는 것 같은 모습을 보여준다.

무릎 반사 또한 무릎뼈 아래를 가볍게 두드리면 갑자기 무릎을 뻗는다.

모로 반사는 큰소리나 신체적인 충격을 받았을 때 팔과 다리를 벌리고 손가락을 펴며 몸쪽으로 팔다리를 움츠린다.

양마마의 꿀팁 !

♠ 아기가 잠을 자다가 모로반사로 갑자기 깨게 됩니다. 심한 경우에는 이를 방지하기 위해 시중에 나와 있는 모로반사 방지용 이불이나 스와들업, 스와들미 등을 적절히 활용하면 깊은 잠을 재울 수가 있어요. 아기의 움직임은 근육발달과 두뇌발달을 가져오므로 낮에 꽁꽁 싸매두는 것은 찬성하지 않으나 밤중에는 사용해도 좋을 듯합니다.

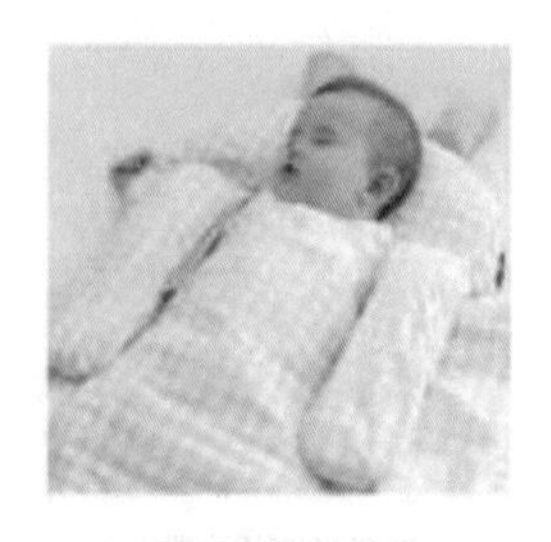

모로반사 방지용 이불

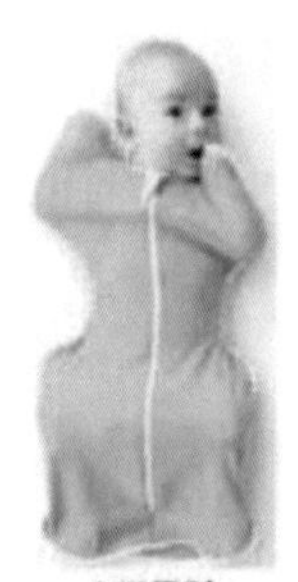

스와들업

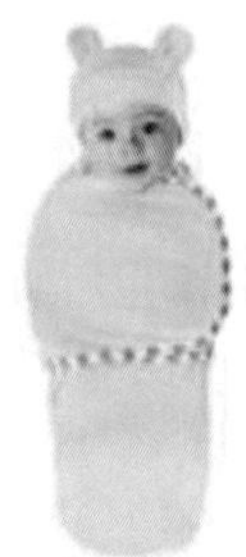

스와들미

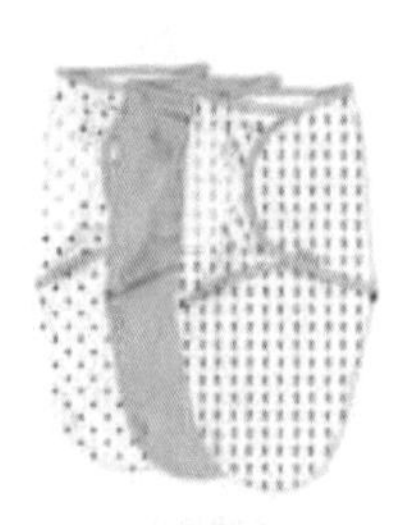

스와들미

섬세한 감지력의 호기심 가득한 탐험

신생아의 감각 기능은 태어난 직후부터 세상을 탐험한다. 놀라운 능력을 갖춘 아기는 감각을 통해 새로운 경험과 즐거움을 찾아낸다.

1. 신생아의 감각 기능

첫째, **부드러운 손길에 예민하게 반응한다.** 부드러운 피부와 따뜻한 접촉으로 안정감을 느끼며, 부모가 전하는 사랑과 애정을 느낄 수 있다.
엄마·아빠의 손길이 닿는 순간 끈으로 연결되어 있는 것과 함께함을 안다.

둘째, **신생아의 시각은 세상의 아름다움을 발견하기 시작한다.** 아기는 명암과 색상, 움직임에 민감하게 반응하여 주변 환경을 탐색한다.

셋째, **신생아의 청각은 엄마¯아빠가 전하는 음성에 익숙함을 느낀다.** 아기는 부모 목소리를 듣고 달콤한 멜로디로 인식하며 안정되고 평온한 분위기에서 자라게 된다. 재미있는 소리와 음악으로 신생아의 귀를 사로잡고 기쁨을 선사할 수 있다.

따라서 **신생아의 감각 기능들은 매혹적이고 독특하다.** 엄마¯아빠의 사랑스러운 손길, 따뜻한 시선, 다정한 목소리, 입으로 전해지는 젖의 섬세한 맛, 코를 타고 흐르는 향기에 작고 소중한 아기는 새로운 세계를 발견한다. 오감으로 느끼는 조화로운 향연은 살만한 세상임을 알게 할 것이다.

엄마 뱃속에서 손을 빨며 놀던 신생아는 감각기능이 잘 발달하여 있다. 이 기능은 성장 발달에 영향을 미치며, 애착 형성에도 매우 중요한 역할을 한다.

2. 오감을 통한 아름다운 탐색

아기의 시각은 생후 10일 정도 지나면 움직이는 물체를 눈으로 추적하고, 15~20cm 정도의 거리에서 가장 잘 본다. 빛의 파장에 따른 차이를 식별하고 일부 색을 구분하기도 하나, **완전한 색의 변별은 4개월 이후라야 가능**하다.

물건이 보이기 시작하는 것은 생후 2개월 가까이 되었을 때이고, 1개월 전후에서는 명암을 알 정도이고, 생후 6개월이 지나면 성인의 시각으로 성장한다.

청각은 태내에서 이미 발달되어 있으나 출생 직후 3일 동안은 귀에 양수가 남아있어 작은 소리는 듣기가 어렵지만 양수가 빠져나가면 소리의 세기와 높낮이를 구분하고, 어디에서 들려오는지 알 수 있다.

생후 3일이 지나면 엄마 목소리를 구별하며, 듣고 좋아한다. 2~3개월 후면 소리가 나는 쪽으로 얼굴을 돌리게 된다. 사람의 목소리에 민감하다.

양마마의 꿀팁 !

♠ 말은 들어야만 할 수 있습니다. 항상 아기에게 사랑스러운 말을 건네주세요. 그리고 오전에는 클래식 음악을, 오후에는 경쾌한 음악을, 밤에는 직접 자장가를 불러주세요. 그러면 아기의 말하는 능력과 두뇌는 쑥쑥 자라게 될 것입니다.

미각은 신생아의 감각 중에서 잘 발달 되어 있어 생후 1일부터 젖의 맛을 안다.
맛을 구별하는 능력이 있으며 쓰거나 신 용액에는 찡그린다.
4가지 기본 맛 **달고, 시고, 쓰고, 짠**맛 모두에 차별적인 반응을 보이며, 쓴맛보다 단맛을 선호한다.

양마마의 꿀팁 !

♠ 모유수유 하는 엄마는 가능한 여러 음식을 먹어 아기의 미각 발달에 도움을 주세요. 아기에게 오감을 자극해 주는 것은 두뇌발달에 큰 영향을 미칩니다.
앞에서 서술한바 아기의 두뇌는 외부 자극에 의해 75%가 발달하기 때문이죠. 3세까지 90%나 발달하는 뇌를 위한 노력이 이때부터 필요합니다.

후각은 예민하지 않으나 좋아하는 냄새나 싫어하는 냄새를 구별한다. 암모니아나 식초 같은 냄새에 강하게 반응하여 얼굴을 돌리며, 일주일정도면 어머니의 젖 냄새나 체취를 구분하여 선호한다. 영아는 자신의 어머니와 다른 여성의 모유 냄새를 구별할 수 있다.

양마마의 꿀팁 !

♠ 집안에서 여러 가지 맛있는 음식을 하면서 풍기는 냄새와 엄마 아빠가 사용하는 비누나 화장품 등에서 나는 향기는 아기의 후각을 자극하기에 아주 좋은 재료들입니다.
비누 등의 화학적 자극으로 인해 신생아에게 안 좋은 영향을 미칠 수 있으므로 가급적 천연향 위주로 사용하셔요.

아기의 통각은 성인과 같은 아픔은 못 느낀다. 통증(고통)에 대한 감각은 생후 3~4일이 지나면 급속하게 증가한다. 머리 부분이 하체 부분보다 민감하고 적극적인 반응을 보인다.

양마마의 꿀팁 !

♠ 항상 아기의 몸이나 머리를 자주 쓰다듬어 주고, 가능하다면 온몸의 감각세포에 자극을 줄 수 있는 마사지도 자주 해주세요. 아기는 부드러운 감촉을 아주 좋아해서 스킨십을 해줄 때 자신이 사랑 받고 있다는 것을 느끼게 됩니다.

촉각은 냉각과 온각이 비교적 발달되어 있다. 특히 냉각이 발달되어 있어 찬물에 대한 반응은 민감하다. 부드럽게 쓰다듬는 감촉에 대해 감지하고, 이에 대해 기분 좋아하는 반응을 나타낸다. **입, 손, 발바닥이 가장 예민**하다.

온도감각은 온도변화에 대해 민감한 반응을 보이는데 건강한 신생아는 기온이 떨어지면 스스로 신체활동을 증가시켜 체온을 유지한다.

두뇌 발달을 위한 오감 자극 교육법 7가지

신생아 두뇌 발달을 위한 오감 자극 교육은 매력적이고 창의적인 방법들로 아기의 세계를 활기차게 만들어 준다. 아기들은 다양한 감각 자극을 통해 성장하며, 즐거움과 학습을 동시에 경험한다.

다채로운 이미지와 **흑백 기하학적 패턴**을 보여주면 아기는 흥미롭게 바라보며 음악과 소리를 통해 세계를 탐험한다.
이왕이면 다양한 장르 음악과 리듬을 들려주며 재미있는 소리를 제공하여 청각 발달을 돕는다.

오감 자극은 아기에게 세상과 상호작용하며 지능을 개발할 수 있게 한다.
신생아는 이제 막 세상을 탐험하기 시작했다. 모든 것이 처음이고 다 새롭다. 태어나는 순간부터 신체의 급성장기처럼 두뇌도 왕성한 성장을 한다. 6개월이면 완성되는 두뇌그릇을 위한다면 아기의 오감 교육은 미룰수록 손해다.

신생아의 **오감교육**은 멀리서 찾지 않아도 된다.

흑백의 기하학적 무늬의 그림으로 시각을,
엄마가 하는 말이나 클래식 태교음악 등으로 청각을,
엄마가 여러 음식을 먹고 젖을 주어 미각을,
집안에서 하는 고소하고 맛있는 요리로 후각을,
사랑스런 손길로 자주 쓰다듬어서 촉각을 자극해 준다.

호기심이 많아지는 생후 3~4개월부터는 놀이를 통한 오감 교육을 할 수 있게 된다.

1. 아기의 오감 교육

첫째, **전뇌가 고루 발달하도록 다양한 영역의 자극을 준다.** 머리가 좋고 나쁨은 신경세포 회로의 치밀한 정도에 따라 결정된다. 이 시기에 다양한 영역의 정보를 왕성하게 전달받을 수 있도록 하는 것이 두뇌 발달의 기초가 된다.

둘째, **오감 학습으로 두뇌 발달을 극대화해 준다.** 그림책이나 영상보다 직접 보여주고(시각 자극), 만지고(촉각 자극), 냄새를 맡고(후각 자극), 소리를 듣고(청각 자극), 먹어보게(미각 자극) 하는 등 오감을 골고루 자극하는 종합(융합)교육이 두뇌 발달에 효과적이다. 일회성보다 지속적인 정보를 반복적으로 주어야 신경회로가 튼튼하고 치밀하게 자리를 잡는다.

셋째, **깊은 잠 잘 자는 아이의 머리가 좋다.** 갓 태어난 아기가 보고 듣고 느끼는 정보의 양은 엄청나다. 사방에서 전해지는 모든 정보를 받아들이는 아기의 뇌는 쉽게 지치므로 잠에 빠져든다. 자면서 뇌는 쉬게 되고 기억을 재정비하며 기억력이 강화된다. 푹 자는 것이 뇌 발달에 중요하다.

넷째, **부지런한 손놀림을 시키고, 손으로 하는 놀이를 제공해 준다.** 갓 태어난 아기의 손놀림도 소근육 발달로 뇌 활동에 도움이 되므로 손을 자주 마사지해 준다.

다섯째, **가능하면 많이 기어 다니게 한다.** 만 7~8개월 이후부터 아기가 기어 다니면 좌·우뇌의 발달이 균형적으로 이루어진다.

여섯째, **스킨십은 두뇌 발달과 직결된다.** 피부는 약한 자극에도 뇌에 잘 전달된다. 목욕시키기, 안아주기, 머리나 등 쓰다듬기, 뽀뽀하기, 업어주기, 마사지하기 등 사랑이 담긴 피부접촉은 아이의 두뇌 발달 촉진에 효과적이며 정서 안정에도 큰 도움을 준다.

일곱째, **올바른 식습관이 두뇌 발달을 촉진한다.** 손과 같이 입과 혀도 뇌에서 넓은 부위를 차지한다. 다양한 음식을 씹고, 맛을 느끼는 과정은 아기의 뇌 발달과 밀접한 관계가 있다.

신체가 움직이려면 에너지가 필요하다. 특히 뇌가 활동하는 데는 굉장한 에너지가 필요하다. 이유식이 끝나고 밥을 먹는 아이에게 아침 식사를 꼬박 챙겨 먹이기만 해도 두뇌 발달에 큰 도움이 된다.

양마마의 꿀팁 !

♠ 앞에서 두뇌그릇은 6개월이면 완성되고, 두뇌는 3년이면 80%가 성장한다고 말했습니다. 이럴진대 신생아라고 or 아직 이르다고 꽁꽁 싸매 두실 건가요?
당신 자녀의 오감 교육을 하루라도 미루지 마세요. ~^^~

2. 신생아의 감정

신생아는 자신의 불편함이나 불만을 표현하기 위해 불쾌감을 느낄 수 있다.
이는 배고픔이나 기저귀를 갈아주지 않음, 피곤함 등으로 인해 발생한다. 이때 아기는 울음이나 움직임으로 불편함을 표현하며, 양육자가 귀 기울여 인지하고 받아들여 적절한 조치를 취해줌으로써 안정과 안락을 제공해야 한다.

또 기분 좋은 상태를 경험할 수 있다. 이는 배부름과 함께 오는 만족감, 따뜻하고 포근한 환경에서 안락함, 부드러운 만지작거림 등이다. 신생아는 몸의 긴장 완화로서 좋은 감정을 표현하며, 엄마-아빠의 상호작용을 통해 사랑받고 있음을 안다고 말할 수 있다.

신생아의 감정은 주변 환경 및 생리적 요소에 영향을 받으며, 엄마-아빠의 상호작용과 관심 속에서 형성된다. 이는 정서적 발달에 중요한 역할을 한다.

신생아 때는 크게 **불쾌감**과 **좋음** 두 가지 감정이 존재한다. 태어나는 순간부터 접하게 되는 경험하지 못한 낯선 느낌들을 좋은 감정으로 가득 채울 수 있도록 해주는 게 어른들의 몫이다. 아기에게 좋은 감정은 특별할 게 없다. 잘 먹고, 잘 자고, 잘 싸고, 상쾌한 환경이면 된다.

'세상 살기 힘들다.' 보다 **'세상 살기 좋다.'**의 감정은 아기에게 이타심을 갖게 하기에 충분하다.

◆ 신생아의 2가지 감정

구 분	느끼는 감정	
불쾌감	배고프다, 축축하다, 덥다, 춥다	세상 살기 힘들다
좋음	배부르다, 잘 잤다, 포근히 안김	세상 살기 좋다

"아기는 엄마의 품에서 안전한 곳을 찾으며,
엄마는 아기의 품에서 가장 따뜻함을 느낀다."

자녀를 영재로 키운
전직 산후관리사가 전하는

육아 실전수업 및 꿀팁

육아도 아는 만큼 쉬워진다.
'누구나 한 곳은 약하게 태어난다.'

Chapter 2

신생아의 증상

- 신생아에게 나타나는 여러 질환
- 영아산통 원인과 대책
- 신생아에게 나타나는 여러 증상

신생아에게 나타나는 여러 질환

신생아에게 나타나는 여러 질환은 태어남과 동시에 어른의 보살핌과 의료 지원을 받으며, 강인함과 회복력을 발휘한다.

다음에 서술한 신생아시기에 나타나는 질환들은 일시적인 문제들로 의료진의 적절한 관찰과 전문적인 치료를 통해 아기가 건강하게 성장할 수 있다.
이런 질환은 부모에게 불안함을 안겨주지만, 아기의 강인함과 불굴의 의지로 회복의 가능성을 보여줌으로써 건강하게 자라날 것임을 믿는다.

여러 해 동안 아기들을 만나봤지만, 잘 먹는 아기가 있는가 하면 먹지도 못하고 자꾸 게워내는 아기가 있다.

한 부분 건강하게 태어났다면 다른 한 부분은 약하게 태어나는 것이 다반사다. 엄마의 걱정되고 안타까운 마음은 이해되나 '우리 아이만 왜 이러는 걸까?'하는 생각은 하지 않길 바란다.

1. 황달별 원인과 대처

생리적 황달은 간 기능과 적혈구의 기능이 미숙하기 때문에 출생 후 황달이 잘 생긴다. 혈액 안에 **빌리루빈**이라는 황갈색 담즙 색소가 증가하면 몸이 노랗게 되어 황달이 나타나게 된다. **정상아의 60%, 미숙아의 80%가 황달을 경험**한다.

황달은 **생후 2일에 시작**하여 생후 7일 정도에 가장 높아졌다가 2주째에 사라진다. 생리적 황달은 모유와 상관없으므로 수유하는 것이 당연하다. 빌리루빈은 10%가 소변으로 90%는 대변으로 배출된다.

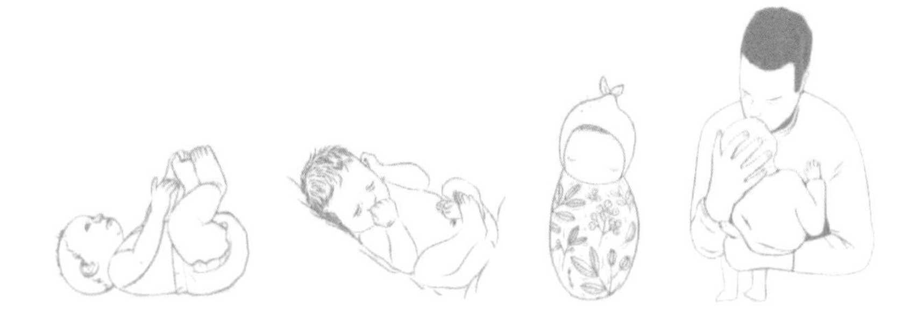

◆ 황달별 원인과 증상 및 대처

황달이 **배꼽 아래**로 내려가면 위험하므로 반드시 의사의 진료를 받아야 한다.

구분	생리적 황달	병리적 황달	조기모유 황달	모유 황달
원인	신생아 간기능 미숙	다양한 원인	칼로리 부족 탈수	모유자체
증상	가벼운 황달 생후24시간 이후 발생하여 3일째 가장 심함	축 처진 상태 젖을 빨지 못함 10일 이상 지속	생후 3일~1주에서 발생 자주 수유하면 1주가 지나 완화	생후 1주에 나타나 10주까지 계속
대처	-	신속히 병원 진료	충분한 모유수유	지속 모유수유 생후1달 뒤에도 지속되면 병원 진료

출처: 산후관리사 교육자료

2. 신생아의 여러 가지 질환

<u>아구창</u>은 '칸디다 알비칸스'라는 곰팡이 때문에 입 안에 하얀 반점이 생긴다. 일반적으로 미숙아나 면역기능이 저하된 아이에게 생기는데, 정상아도 입 안 청결이 불량하거나 젖꼭지, 젖병 소독이 불량한 경우에 생길 수 있다. 입 안 곰팡이가 장으로 넘어가 설사를 일으키기도 한다.

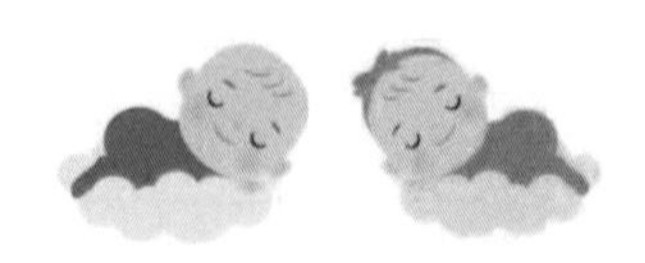

양마마의 꿀팁 !

♠ 아구창은 입 안 찌꺼기와 구별해야 하는데 가제수건이나 면봉으로 흰 반점을 문질러서 벗겨지면 우유 찌꺼기이고, 잘 벗겨지지 않고 피가 나면 곰팡이에 의한 아구창인 경우가 대부분입니다.

이 경우 꼭 소아과 전문의의 정확한 진단을 받고, 치료약을 입 안에 발라 주어야 해요.

아구창은 아래와 같이 엄마와 아기 둘 다에게 증상을 일으키므로 함께 치료를 받아야한다.

이 경우 모유수유는 가능하며, 사용한 물건은 소독하고, 전염되지 않도록 주의한다.

◆ 캔디다 알비칸스 곰팡이균에 의한 엄마와 아기 증상

구 분	엄 마	아 기
증 상	유두/유방 동통	기저귀 발진
	화끈거림, 분홍빛깔, 물집	입, 볼, 혀의 하얀색 반점
	유두 벗겨짐	침이나 입속이 약간 희게 빛남
	수유/수유 후 유방에 심한 통증	젖을 거부
	질 이스트 감염	유방에서 칭얼댐

제대 육아종은 잘린 탯줄이 너무 오래 붙어 있거나 떨어진 이후 배꼽부위에 군살이 돋는 경우를 말한다.

고름이 잡히고, 분비물이 생기기도 한다. 이를 예방하기 위해서는 출생 후 **배꼽 관리가 매우 중요**하다.

목욕 시 물이 들어가지 않게 하고, 목욕 후 소독해 주고, 배꼽이 떨어진 후에도 완전히 아물 때까지 소독해 주어야 한다.

양마마의 꿀팁 !

♠ 배꼽소독은 벌려서 안까지 충분히 해주시고, 소독 후 싸매두는 것은 오히려 염증을 유발할 수 있습니다.
탯줄은 보통 7~8일 정도면 떨어지는데 10일 이상 붙어 있으면 육아종이나 염증이 생길 수 있으니 잘 관찰하세요.

배꼽 탈장은 탯줄이 떨어지면 정상적인 배꼽으로 자리 잡는데 일부 신생아는 배꼽부위 근육이 약해 배꼽부위가 완전히 붙지 않고 피부밑 근육 부위에 작은 구멍이 남아 배꼽부위로 장 일부가 튀어나오는 경우를 말한다.
이는 **보통 6개월**(일부는 돌) 정도 지속되다가 탈장부위 근육이 붙어 구멍이 점차 없어지고 증상이 호전된다.

서혜부탈장은 남자아기에게 많이 나타나며, 만삭아보다 조산아에 많이 나타나고, 출생 시 **체중 1kg 미만인 조산아는 30% 정도 탈장 증세**가 있다.

출산 당시 **두부 손상**은 산모의 좁은 산도를 통과할 때 아기 머리는 손상되기 쉽다. 분만 과정에서 머리가 손상되는 것을 말하며, 이런 두부 손상은 두개혈종, 산류 등에서 심한 경우에는 머릿속 출혈까지 그 종류가 다양하다.

두개혈종은 머릿속과는 관계가 없고 아주 커지지 않을 경우 그냥 두고 관찰하면 백일 정도 지나 저절로 없어진다.

산류는 머리의 두피 밑에 출혈이 생기는 것으로 두개혈종보다 돌출 부위가 더 크다. 겉으로는 두피가 멍든 것처럼 보이고 붓는다. 두개혈종이나 산류 모두 그냥 두면 되는데 이러한 결정은 물론 소아과 전문의가 해야 한다.

결막염은 출산하면서 산도에 감염되었거나 눈물이 코로 흘러가는 관이 막혀서 생기는 결막염은 신생아에게 흔하게 나타나며, 눈이 충혈되기보다는 눈곱이 끼는 증상을 동반하는 경우가 많다. 간혹 눈이 충혈되는 경우는 태어나면서 받은 압력으로 눈의 핏줄이 터진 것이라고 볼 수 있다.

중독성 홍반은 신생아의 30~70% 정도에서 발견될 정도로 흔한 질병으로 태열과 비슷하다. 생후 2~3일에 아기의 가슴, 등, 둔부, 복부에 나타나다가 수일 후 자연 소멸한다. 원인은 밝혀지지 않았고 아기의 몸이 더우면 상태가 더 나빠지므로 시원하게 해줘야 한다.

영아산통 원인과 대책

영아산통은 **생후 4개월 이하의 영아에게서 발생**한다. 정해진 시간 없이 발생할 수 있으나 주로 저녁에 이유 없이 발작하듯 울고 보챈다. 이럴 땐 초보 엄마·아빠들은 몹시 당황하고, 아기를 어떻게 돌봐줘야 할지 어려워한다. 아래 내용들을 살펴서 가급적 영아산통이 발생하지 않게 해주길 바란다.

1. 영아산통이란

영아산통은 다른 곳은 아무 이상이 없는 아기가 종잡을 수 없이 심하게 우는 것을 말한다. 생후 3~4개월 이전 아기는 영아산통으로 밤잠을 깨운다.
배앓이라고 하며, 숨이 넘어갈 듯 자지러지게 울고, 심한 경우 다리를 가슴 부위까지 끌어올리며 움츠린다.

원인은 밝혀지지 않았으며, 아기의 **미숙한 소화기관 때문으로 추정**한다. 한번 산통이 시작되면 1시간 정도 계속된다. 만약 깨어 있을 때도 울거나 배앓이하면 따뜻한 물수건으로 배를 마사지해 주거나 젖을 물린 후 완전히 트림시키는 것이 좋다. 질병이 아니므로 진찰해도 소용없지만 밤마다(3일 이상) 계속되면 의사와 상담한다.

2. 영아산통 원인과 대책

1) **영아산통의 원인**

- 배가 고프거나 너무 많이 먹었을 때
- 아기가 너무 많이 힘들 때
- 체질적으로 긴장성이 높은 아기
- 가족관계가 불안정하거나 부부싸움을 많이 하는 경우
- 분유수유 시 공기를 많이 마셨을 때

2) **영아산통 대책**

- 아기를 기분 좋게 만들어 준다.
- 아기가 불안해하지 않게 안아주고, 편안하게 해준다.
- 트림을 많이 시켜주며, 배 마사지를 자주 해준다.
- 젖병수유일 경우 구멍이 적당한가를 살펴본다.
- 쾌적한 환경을 만들어 주고, 실내온도는 너무 높지 않게 한다.
- 편안하고 조용하게 소음이나 TV 소리를 줄이는 것이 좋다.

양마마의 꿀팁 !

♠ 산후관리 첫날 산모에게 말해줍니다. "아기가 울면 바로 안아주세요. 이때는 항상 옆에 엄마가 있다는 '믿음'을 쌓아주는 시기이지 '버릇'을 들이는 시기가 아닙니다."라며 그 이유를 설명해 주지요. 그런데 다음날 문에 들어서자마자 "어젯밤에 아기가 너무 울어서 영아산통인가 싶어 병원에 다녀왔어요." 라며 밤새 무척 힘들었음을 알리지요.
아기가 울기 시작했을 때 바로 달래면 쉽고 빠르게 해결되지만, 우는 아기 버릇 들이겠다고 내버려 두면 영아산통을 혼동할 정도로 곤욕을 치르게 됩니다. 이유는 아기가 화가 나서 그렇지요. 혹시, 이 경우가 의외로 많다는 거 아시나요?

신생아에게 나타나는 여러 증상

엄마⁻아빠에게 가장 중요한 관심사는 사랑하는 아기의 **무탈함**이다. 그러나 신생아는 아직 완전히 발달하지 않았기 때문에 몇 가지 일반적인 증상이 나타날 수 있다. 아기의 딸꾹질, 목에서 나는 그르렁 소리, 얼굴에 나는 물집, 며칠째 안보는 변, 이상 변, 발열, 기저귀 발진 및 자주 게워내는 것 등이다.

아기에게 나타나는 여러 가지 증상을 보면서 초보 엄마·아빠들은 몹시 당황한다. 흔히 일어날 수 있는 증상들이므로 너무 놀라지 않길 바란다.

다음에 나열한 증상들은 신생아기에게 자주 나타나지만, 질환을 의심해야 할 상황이라면 의사선생님과 상의하면 된다.

1. 신생아의 여러 증상

신생아는 딸꾹질을 자주 한다. 딸꾹질은 호흡작용을 돕는 횡격막이 급작스럽게 운동할 때 소리를 내는 것을 말하며, 엄마 뱃속에서처럼 보통 몇 분만 지나면 저절로 멎는다. 호흡체계가 조절되고 성장함에 따라 자연스러워지지만 심한 호흡곤란이나 진통을 동반한다면 의료 전문가와 상담해야 한다.

양마마의 꿀팁 !

♠ 신생아에게 딸꾹질은 아주 흔하게 일어나지요. 원인은 다양하며, 기저귀를 갈 때 바람만 들어도 딸꾹질합니다. 아기들이 모자를 씌우는 거 아주 싫어한다고 앞에서 말씀드렸죠. 추워서 하는 딸꾹질이라면 모자를 씌우거나 이불을 한 겹 덮거나 안아서 엄마의 따뜻한 체온이 전달되게 해주세요. 그게 아니라면 그냥 두어도 딸꾹질은 잠시 후 멈추게 됩니다.

신생아는 잘 토한다. 공기를 조금만 많이 마셔도 트림하면서 토할 수 있다. 이는 음식물이 들어가면 위 윗부분을 조여주는 **괄약근이 미숙**하기 때문이다. 그렇다고 토하는 증상이 모두 괜찮은 것은 아니다. 위·식도 역류나 유문협착 같은 이상일 수도 있으니 심하게 계속 토하면 병원에 가는 것이 좋다.

아기의 **목에서 그르렁 소리가 난다**는 것은 어른에 배해 몸이 작아 숨 쉬는 기도가 가늘기 때문이다. 또 기관지가 말랑말랑해 가래가 없어도 숨을 쉴 때마다 그르렁 소리가 난다. 1년쯤 되면 기관지가 딱딱해져 이런 증상은 저절로 좋아진다. 간혹 아기 중에는 진짜로 가래가 끓는 경우도 있기 때문에 증세가 오랫동안 계속되면 괜찮은지 의사에게 확인할 필요가 있다.

2. 주의해야 할 일반적인 증상

배꼽에서 진물이 난다면 오목한 배꼽에 물이 고여 생긴 진물인지 확인하고 잘 말려 주고 소독하면 된다. 그러나 그냥 두어도 낫는다는 생각으로 염증을 그대로 두면 패혈증 등 전신감염이 생기기도 하므로 배꼽에서 진물이 계속 나오면 의사의 진료를 받는 것이 좋다.

양마마의 꿀팁 !

♠ 배꼽소독(제대관리)은 알코올 묻힌 솜이나 면봉으로 소독하고 잘 건조해 주셔야 합니다. 앞에서 벌려서 소독하고, 싸매두지 말고 노출시켜 잘 말리는 것이 제일 중요하다 했지요. 말릴때 주의할 점은 입으로 바람을 불어 말리지 마세요. 엄마 입 안에 있는 세균이 옮겨질 수 있습니다.

태어난 지 얼마 안 되는 여자아기의 **질에서 분비물이 나온다**. (**가상 월경**) 간혹 피 같은 분비물이 나오는 경우가 있다. 이는 여성이 어른이 되어 월경하는 것과 비슷하게 호르몬 때문인데 엄마 배 속에 있을 때 영향을 받던 에스트로겐이라는 호르몬이 태어나면서 사라지기 때문에 생기는 현상이다. 문제는 없지만 외상이나 다른 질환 때문에 비슷한 증상이 나타날 수도 있으니 자세한 관찰이 요구된다.

아기 **얼굴에 물집이 생긴다**. 이마나 뺨, 코허리에 아주 자잘한 물집 같은 것이 보이는데 특히 많이 생기는 아기도 있다. 보통은 몇 주일 안에 없어지므로 특별한 치료가 필요하지 않다. 그러나 장시간 지속되거나 부어오른 물집이 있다면 감염이나 기타 문제를 시사할 수 있으므로 주의가 필요하며, 의료 전문가와 상담해야 한다.

분유를 먹는 아기보다 **모유를 먹으면 변이 묽다**. 모유를 먹을 때마다 누기도 하고, 거품이 이는 경우도 있다. 변에 물기가 많고 거품이 생긴다고 해서 설사라고 단정 짓기보다는 직접 변을 가지고 가서 의사의 의견을 들어보는 것이 좋다.

녹색 변을 본다. 녹색 변을 본다고 모두 문제인 것은 아니다. 알갱이가 섞인 묽은 녹색 변을 본다면 한 번쯤 아기의 건강을 체크하도록 한다. 그 전에 먹은 음식에 녹색 채소가 있다면 안심이지만 그렇지 않다면 스트레스성일 가능성도 있다. 특히 발열과 구토 증상을 동반하면 감기일 수 있으니 소아과를 방문해야 한다.

양마마의 꿀팁 !

♠ 아기가 이상 변(혈변, 검정색 변, 거품이 있는 흰 변)을 본 경우 반드시 병원에 방문해서 의사의 진료를 받아야 합니다. 또 녹색 변을 본 경우는 분유에 따라 그럴 수 있고, 스트레스가 심한 경우에도 녹색 변을 볼 수 있답니다.

며칠째 변을 안 본다. 신생아는 3~4일 동안 변을 보지 않을 수 있다. 아기가 먹기만 하고 변을 안 보면 왠지 불안하다. 엄마 마음은 답답하겠지만 아기가 잘 놀고 잘 먹고 배가 몹시 부르지 않다면 3일 정도 변을 보지 않는다고 걱정할 필요는 없다. 어느 정도가 지나면 **배변 패턴이 정규화**된다.
원활한 배변 활동을 돕고 싶다면 아기의 배를 시계방향으로 마사지해주고, 두 다리를 잡고 허벅지를 배 쪽으로 들어 올려 배를 살짝 눌러주면 항문이 열려 배변에 효과를 볼 수 있다.

아기가 변을 볼 때 온몸에 힘을 준다. 신생아는 어떻게 힘을 주어야 하는지 잘 몰라 온몸에 힘을 주게 된다. 이때 얼굴이나 온몸이 빨개지기도 한다. 대개 시간 지나 힘주는 방법을 터득하면 좋아지지만 오랫동안 온몸에 힘을 준다면 소아과 의사와 상의해야 한다.

발열로 인해 **38℃ 이상**이 되면 의사의 진찰을 받아야 한다. 신생아의 정상체온 범위는 36.5~37.5℃이다. **37.8℃** 이상 열이 오르면 응급 처치로 가제나 수건을 **미온수**에 적셔 수분과 함께 열이 방출하도록 팔, 다리, 몸 등에 묻혀준다. 찬물에 적셔 묻혀주면 차가워서 가뜩이나 아픈 아기는 놀래기까지 한다. 신생아는 체온조절 기능이 아직 약하므로 함부로 알코올을 사용하면 안 된다.

기저귀발진은 오줌 속의 암모니아가 아기의 피부를 자극해서 생긴다. 기저귀발진의 가장 좋은 치료는 **기저귀를 안 채우는 것**이다.
잠시라도 통풍이 되도록 기저귀를 열어주며, 대소변을 본 후에 엉덩이를 잘 씻어주고, 기저귀를 자주 갈아줘야 한다. 심한 경우 발진 연고를 사용하거나 의사의 진료를 받는다.

"아기는 엄마의 목소리에서 가장 위로를 받으며,
엄마는 아기의 눈 속에서 가장 아름다운 미래를 상상한다."

자녀를 영재로 키운
전직 산후관리사가 전하는

육아 실전수업 및 꿀팁

육아도 아는 만큼 쉬워진다.
'아기도 사랑과 존중받고 싶어 한다.'

Chapter 3

신생아의 목욕 및 청결관리

- ✦ 아기 씻기기 원칙 8가지 및 주의 사항
- ✦ 아기를 울지 않게 목욕시키는 방법
- ✦ 아기 신체 부위별 청결 관리

아기 씻기기의 원칙 8가지 및 주의 사항

아기의 목욕은 깨끗하게 씻기는 것만을 말하는 게 아니다. 하루 중의 피로를 풀어주고, 잠이 잘 오게 하는 등 심리적인 안정에 효과적이며, 신진대사를 촉진해 아기의 성장발육을 돕는다. 이 중 가장 중요한 것은 건강은 물론 앞으로 매일 하게 될 목욕에 대한 **즐거움**을 갖도록 도와주는 데 의미가 있다.
아기와의 목욕 시간은 사랑을 전달할 기회로 삼고, 소중한 상호작용의 경험이 되도록 진행해야 한다.

초보 엄마·아빠라면 아기를 씻기는 데 불안함이 앞서고, 여러 궁금증이 생길 수 있다. 아기를 씻길 때 가장 중요한 것은 안전이다. 미끄러짐이나 다른 사고가 발생하지 않도록 목욕환경을 잘 살펴야 한다.

1. 아기 씻기기의 원칙

아기를 씻길 때는 아기의 건강과 안전을 위해 지켜야 할 몇 가지 원칙이 있다.

첫째, 아기의 **목욕은 하루에 한 번 정도** 시키는 것이 적당하며, 더운 여름에는 정기적으로 하는 목욕 이외에 1~2회 미지근한 물로 가볍게 샤워를 시켜준다. 저체중아, **미숙아는 1주일에 2~3회만** 시켜도 된다.

둘째, 목욕 전에는 반드시 아기의 몸 상태를 살펴봐야 한다. 체온이 정상인지, 감기 기운이 있는지, 또 목욕으로 인해 무리가 따를 만한 습진이 있을 경우 목욕을 피하도록 한다.

셋째, 씻기는 시간은 가급적 짧게 목욕은 가능한 한 빠른 시간 내에 **(5~10분 정도)** 끝내야 한다. 아기가 물속에서 노는 것을 좋아한다고 해서 오랫동안 물속에 담가두면 연약한 아기 피부의 각질층이 떨어져 나가 피부트러블이 생길 수 있으며, 아기가 지쳐 피곤해하거나 감기에 걸릴 수도 있기 때문이다.

넷째, 목욕할 때 실내온도는 26~28℃, 수온은 38~41℃, 아기를 씻길 때는 실내온도를 일정하게 유지해 주는 것이 중요하다. 물에 젖은 채 찬 바람을 쐬면 감기에 걸릴 위험이 있으므로 여름이라 할지라도 반드시 목욕시키는 방의 출입문을 닫고 목욕시킨다.

다섯째, 생후 2개월까지의 아기는 면역력과 저항력이 약하기 때문에 어른이 사용하는 욕조를 함께 사용하면 **세균에 감염**될 가능성이 높다.

아기 전용 욕조는 따로 마련해서 사용하는 것이 좋다. 신생아 욕조는 가볍고 저렴한 것으로 구입하여 사용한다. 목을 가누지 못하는 신생아는 바닥이 평평한 것이 좋다.

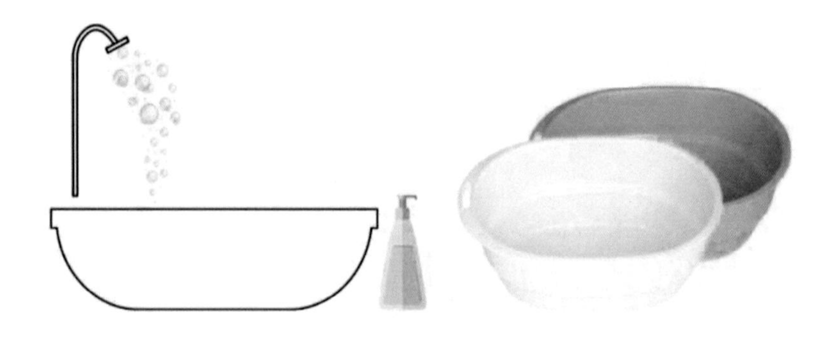

여섯째, 목욕용품은 가까운 곳에 미리 준비해 두어야 하며, 만약 아이를 물속에 혼자 두고 용품을 가지러 가는 일은 **절대** 없어야 한다.

일곱째, 기저귀와 갈아입을 옷은 미리 준비하며, 아기들은 온도 변화에 민감하게 반응하므로 목욕을 시킨 다음 옷을 벗긴 채로 방치해두면 감기에 걸릴 수 있으므로 재빠르게 옷을 입힌다.

여덟째, 목욕하는 시간은 가능하면 **매일 일정하게 정해두는 것**이 아기의 규칙적인 신체리듬 형성에 좋다. 아기 씻기기는 엄마 혼자서 하기보다는 아빠와 함께하면 수월하게 끝낼 수 있다.

양마마의 꿀팁 !

♠ 산모를 만날 때면 뱃속에서 듣던 익숙한 태교음악이나 클래식을 아기에게 틀어주라고 조언합니다. 며칠 뒤 아기에게 목욕 준비를 하고 있는데, 이 산모는 한 단계 더 나아가 "아가야, 이제부터 목욕할 때는 이 음악을 듣자."라며 클래식보다 약간 경쾌한 음악을 틀어주더군요. "역시 하나를 알려드리면 둘, 셋을 실천하시네요. 저도 하나 더 배웠어요."라며 칭찬을 많이 해주었던 기억이 납니다.
목욕은 '즐거움'이란 걸 알려주는 것이 우선이죠.

2. 목욕 준비용품 및 목욕 전 준비

1) 목욕 준비용품

아기 목욕통 2개(씻기기, 헹구기), 목욕수건 2장, 가제 수건 2장, 갈아입을 옷, 기저귀. 베이비 바디워시(물비누)와 샴푸, 기타(면봉, 소독용 알코올 등)

신생아기를 씻길 수 있는 목욕통이 너무 크면 산후조리 하는 엄마나 초보 아빠들은 다루기 힘들어한다. **가볍고 저렴한 것**들이 시중에 많이 나와 있고, 당근마켓 등에서도 아주 저렴하게 구입해서 쓸 수 있으니 짧은 기간이라도 목욕시키기가 익숙해질 때까지 신생아용 목욕통을 쓰는 게 좋다.

2) 목욕 전 준비

(1) 찬바람이 들어오지 않는 곳에서 목욕한다.

(2) 실내온도는 26~28℃로 유지한다.

(3) 목욕물 온도는 38~41℃ 정도로 한다.
(수온계가 없다면 팔꿈치 넣어 따뜻한 정도)

(4) 목욕 시간은 5~10분 이내로 한다.

(5) 옷과 기저귀, 싸개 등을 미리 준비한다.

양마마의 꿀팁!

♠ 아기를 소독한 화장실에서 목욕시킬 때, 겨울에 온도가 너무 낮다면 벽면 전체에 뜨거운 물을 한두 번만 뿌려도 차가웠던 공기가 바로 훈훈해집니다.
목욕물 온도는 여름엔 더 낮은 온도로, 겨울엔 더 높은 온도로 맞춰 주시면 돼요.

3. 목욕 시 주의 사항

아기가 피로해 하면 매일 목욕시킬 필요는 없다. 주 2~3회 시켜도 된다.

목욕은 젖을 먹인 후 1시간 이내는 위에 부담이 되고 게워낼 수 있으니 피해야 하며, 배가 고플 때 시키면 목욕을 즐기지 못하고 운다. 수유 후 40분~1시간이 지난 후 자는 아기 목욕시키고, 목욕 후 갈증 해소를 위해 잠시 엄마 젖을 물리면 바로 다시 잠에 든다.

비누는 신생아에게 가급적 많이 사용하지 말아야 하며, 주름진 피부 및 기저귀 채우는 부위는 민감하므로 비누사용이 자극이 될 수 있다. 비누를 사용했을 때는 물로 완전히 씻어내야 한다.

양마마의 꿀팁 !

♠ 알칼리성 비누나 오일, 로션 등은 연약한 아기 피부의 산도를 변화시켜 박테리아 성장 환경을 제공하기도 한답니다. 신생아에게 가급적 사용하지 않는 게 좋겠네요. 약산성 제품을 권합니다.

목욕할 때 신생아의 **입 안은 굳이 닦지 않아도 된다**. 꼭 닦아주고 싶다면 거즈에 끓여둔 물을 묻혀 심한 자극이 가지 않게 한다.

간혹 갓난아기의 **젖꼭지**에서 젖이 분비되는 경우가 있는데 자극하거나 짜지 말아야 한다.

목욕 중 **물의 온도**가 너무 떨어지지 않도록 실내 환경을 가능한 한 따뜻하게 유지한다. 너무 추운 날씨나 웃풍이 심한 경우라면 보충할 수 있도록 커피포트에 물을 끓여 미리 준비해 둔다.

맨손으로 닦이는 것보다 젖은 **가제수건**을 가볍게 짜서 닦아주는 것이 물이 흘러 눈과 귀 등으로 들어가지 않고, 엄마 손톱으로 아기에게 상처 낼 일이 없다. 가급적 부드러운 가제수건으로 닦고, 피부가 연한 신생아는 세게 문지르지 말아야 한다.

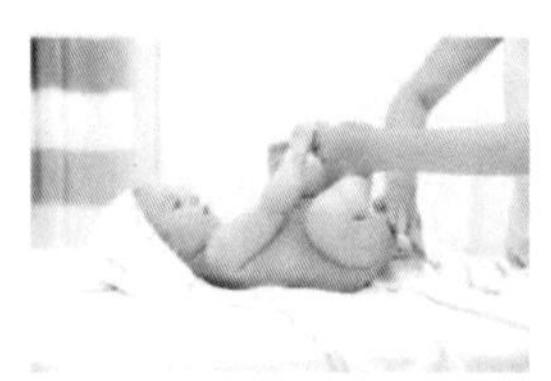
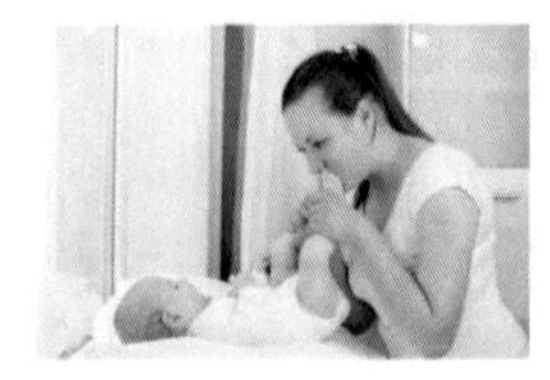

아기를 울지 않게 목욕시키는 방법

아기에게 목욕시키는 순서가 어마하게 중요한 것은 아니다. 그보다는 **아기를 존중하는 태도가 우선**이 되어야 한다. 신생아이기에 모를 거라 생각지 말고 어떤 동작을 하기 전에 알려주고, 물을 느끼게 해서, 즐겁고 행복한 목욕 시간이 되도록 해줘야 한다.

신생아를 울지 않게 목욕시키는 방법은 의외로 간단하다. 가뜩이나 낯선 환경인데 아무런 말없이 갑자기 물속에 넣고, 물속에서 젖은 옷을 벗기며 시간을 끌고, 모로 반사 등으로 놀래는데 아무런 조치를 취해주지 않아서 운다. 이걸 해결해 주면 울지 않게 목욕시킬 수 있다.

이걸 해결해 주는 방법은

첫째 목욕할 거라는 것을 알려주고,

둘째 물속에 들어가기 전에 옷을 먼저 벗기고,

셋째 싸개로 싸서 놀라지 않게 물속으로 넣어 준다.

마지막으로 물을 느끼며 긴장이 풀리도록 잠시 기다려 주면 아기는 울지 않고 목욕을 마칠 수 있다. **아기 마음을 이해하고 알아주면 된다.**

아기가 받는 스트레스는 뇌 활동을 멈추게 할 수도 있다. 두뇌가 좋기를 바란다면 아기가 받는 스트레스는 줄여주고, 오감을 통해 느끼며 행복호르몬이 분비 되도록 가급적 매사 **'좋음'** 감정을 가질 수 있도록 해주는 것이다.

1. 울지 않게 씻기는 순서와 방법

목욕시킬 공간을 깨끗하게 하고, 공기가 차갑다면 따뜻하게 높이고, 적정한 온도의 물을 준비하고, 바람이 들지 않게 문을 닫는다,

1) 알려주기 - 목욕의 첫 번째 순서로 아기에게 "**ㅇㅇ아, 목욕하자.**", "엄마가 깨끗이 씻어줄게." 등 앞으로 아기에게 할 일을 정확하게 알려주어야 한다. 이것이 아기를 존중하는 기본자세다. 또한 아래의 모든 과정을 알려주며 씻긴다.

2) <u>옷 벗기고 싸개로 싸기</u> - 아기 옷을 벗기고, 기저귀는 쉽게 뺄 수 있도록 **찍찍이를 풀어놓고**, 얼른 천 기저귀와 같은 얇은 싸개로 아기를 싼다.

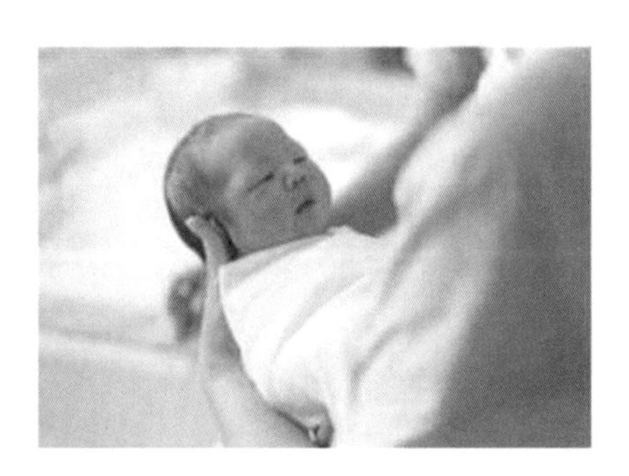

3) <u>물속에 넣기</u> - 싸개로 싼 채 엄마가 오른손잡인 경우 왼쪽 **손목**으로 아기의 머리와 목을 받치고, 물에 빠지지 않게 **왼손**으로 아기의 왼쪽 겨드랑이를 꽉 잡고, 오른손으로는 아기 엉덩이를 받친 채 목욕물 속에 넣어준다. **배를 살짝 눌러** 아기 몸이 물속에 완전히 잠기게 한다.

양마마의 꿀팁 !

♠ 아기를 목욕시키기 위해 물에 담글 때 엉덩이부터 넣어야 많이 놀라지 않습니다. "물속에 들어갈 거야."라고 말을 먼저 하고, 아기의 몸을 웅크리듯 잡고 한손으로 엉덩이를 받친 상태로 서서히 물속으로 넣어주세요.
"따뜻하지? 이제 물을 느껴보자."하고, 느낌을 언어로 전달해 주세요. 상황에 맞는 감정을 가르치는 것도 좋은 교육입니다.

4) **물을 느끼게 하기** - 아기가 따뜻한 물속에서 긴장감을 풀고 편안하게 물을 느낄 수 있도록 3)의 자세 그대로 **30초~1분 정도** 기다려 준다.

물속에 잠기지 않은 목 부위를 살짝 열어 물을 끼얹어 주면 충분히 물을 느낄 수 있다. 이때 대부분의 아기는 신기하게도 **스르르 잠에 빠져든다.** 이후 씻기기 시작하면 울지도 않고, 낯설고 두려웠을 목욕을 잘 마칠 수 있다.

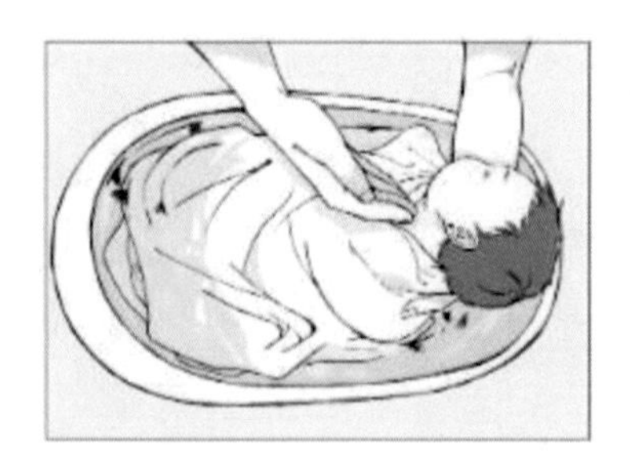
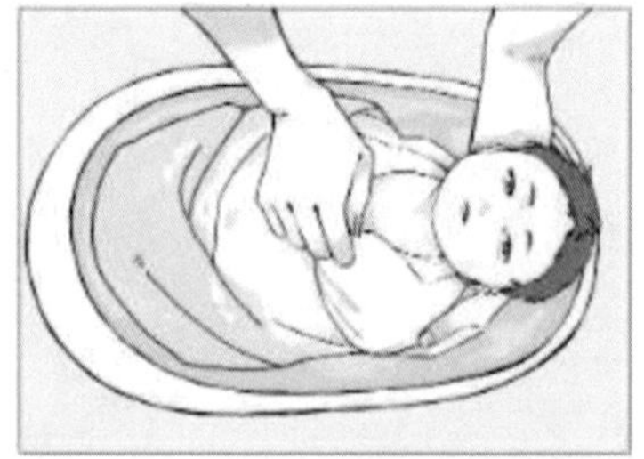

채수연 작

5) **입 닦기** - 계속 4)의 자세에서 가제수건을 물에 적셔 살짝 짠 다음 입을 닦아준다. (입 안은 닦지 않음)

6) **얼굴 닦기** - 4)의 자세에서 젖은 가제수건으로 **눈(안쪽에서 밖으로)부터** 이마, 볼, 코, 귀, 목까지 닦는다. 닦는 순서는 입과 눈 외 그다지 중요하지 않다. 이때 쓰는 가제수건은 신생아용으로 부드러울수록 좋다.

7) 머리 감기기 - 4)의 자세에서 머리 쪽에 여유가 생기도록 다리 쪽으로 살짝 당겨 이동시킨 다음, 머리에 물기를 끼얹고 비누(아기 샴푸)로 뽀글뽀글 감긴다. 젖은 가제수건을 들고 거품을 헹구어 낸다. 이때 귀에 물이 들어가지 않도록 주의한다.

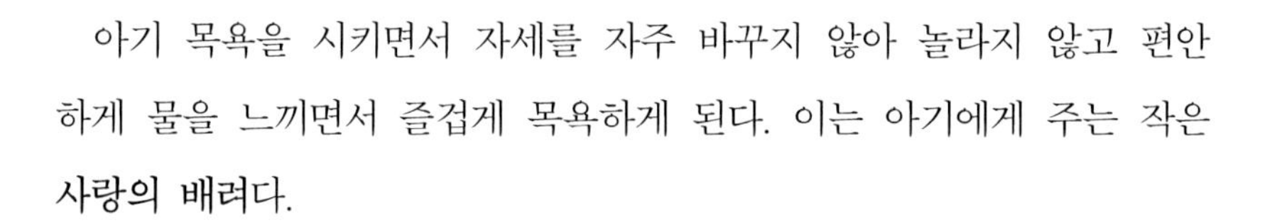

양마마의 꿀팁 !

♠ 신생아는 머리 외는 비누칠을 하지 않고 물로만 씻어 줍니다. 매회 비누칠을 하면 연약한 피부의 장벽이 무너질 수 있기 때문이지요. 3개월 이후부터 성장과 함께 활동량이 늘고 땀이 많이 날 때 사용하시길 권합니다.

아기 목욕을 시키면서 자세를 자주 바꾸지 않아 놀라지 않고 편안하게 물을 느끼면서 즐겁게 목욕하게 된다. 이는 아기에게 주는 작은 **사랑의 배려**다.

8) 몸 씻기기 - 4)의 자세에서 쌌던 싸개를 한 쪽씩 번갈아 벗겨가며 앞가슴과 배, 팔(손가락 사이까지), 다리를 씻긴다. 순서 상관없이 다리부터 씻겨도 된다.

9) 등, 엉덩이 씻기기 - 4)의 자세에 있던 아기를 등이 위쪽이 되게 뒤집듯 엄마의 오른쪽 손으로 옮겨 아래 그림과 같이 손목으로 가슴을 받치고 아기의 왼쪽 겨드랑이를 꽉 잡는다.
아기를 약간 엎드린 상태로 목덜미와 등, 엉덩이, 사타구니까지 잘 닦아 준다. 엎드린 상태로 씻길 때는 아기는 울지 않는다.

초보 엄마·아빠가 돌봄의 미숙함으로 아기의 울음이 그치지 않을 때 잠시 아래 그림처럼 해주는 것도 울음을 그치게 하는 한 가지 방법이 될 수 있다.

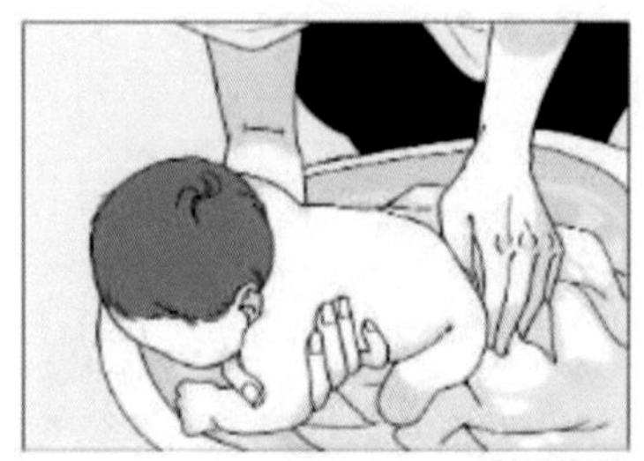

채수연 작

양마마의 꿀팁 !

♠ 세균 감염을 막기 위해 여아의 음순은 앞에서 뒤쪽으로 닦아주고, 남아는 귀두 주위의 치구를 잘 닦아주세요. 또 겨드랑이와 사타구니, 살이 접힌 부분 등을 꼼꼼히 잘 닦아줘야 냄새가 나지 않고 발진이 생기는 것도 예방하게 됩니다. 아기 목욕시키기는 부모에게 매일 해야 하는 숙제와 같고, 힘들고 쉽지않지요. 어차피 하는 거 아기를 먼저 생각하자고요.

10) 몸 헹구기 - 씻기는 물통에서 헹구는 물통으로 아기를 조심스럽게 옮기고 머리와 몸을 헹궈주고 준비해 둔 타월로 체온 손실이 없도록 빠르게 감싸 안는다.

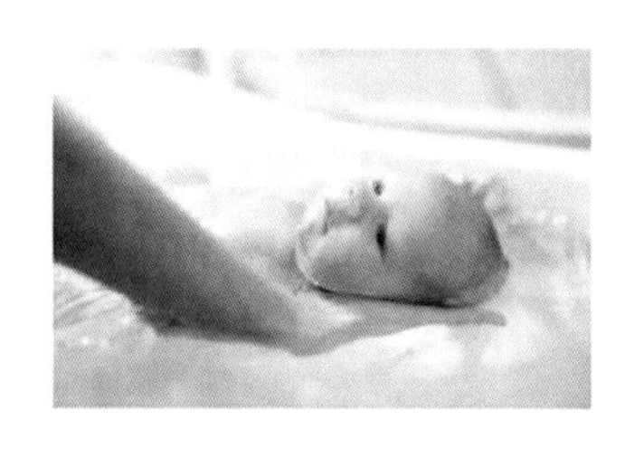 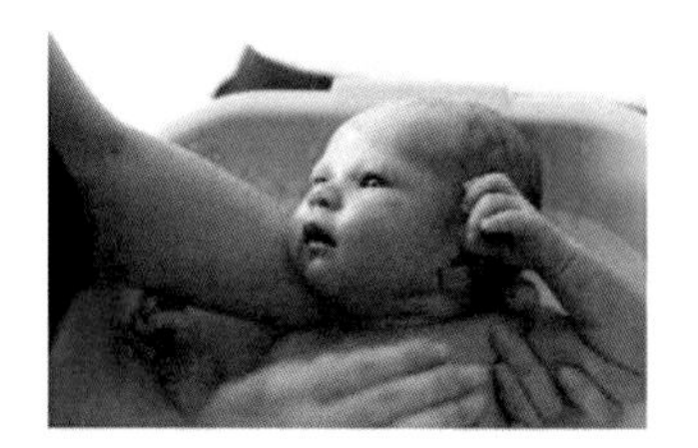

11) 안고 칭찬해 주기 - 목욕 후 타월로 싸여진 상태에서 옷 입히기 전에 잠시 안고 대견하게 목욕해 낸 아기에게 "우리 아가 목욕 너무 잘했어, ㅇㅇ이 대견하다." 등의 말들로 칭찬부터 해준다.

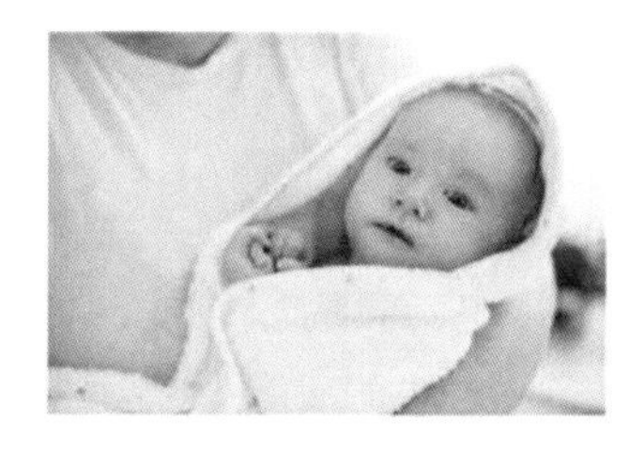 

12) 옷 입히기 - "우리 아가 이제 옷 입자."라고 말하며 물기를 닦던 타월로 몸을 덮은 채 다리만 열어 재빨리 기저귀부터 채우고, 옷을 입힌다. 만약 이때 아기가 너무 놀라서 울 경우 잠시 안아주어 진정부터 시킨다.

13) 수분 보충 - 목욕이 끝나고 나면 수유하여 충분히 수분을 보충해 주는 것이 좋다. 아기는 신진대사 속도가 어른보다 2~3배 빠르고 많은 양의 수분을 배설하기 때문이다. 어른의 몸은 52~65% 물로 구성됐지만 아기 몸은 75~80%가 물이다.

2. 부분 목욕

아기의 배꼽이 아직 안 떨어졌거나 몸에 열이 있을 때는 무리해서 욕조에 몸을 담그는 목욕은 피해야 한다. 수건으로 몸을 감싸거나 옷을 입힌 채 각 부위를 순서대로 닦아주는 부분 목욕을 시킨다.

부분목욕 하는 방법

① 필요한 물건(물수건, 온수, 알코올, 연고 등)을 미리 준비한다.

② 따뜻하게 싸개로 싼 채 머리에서 발까지 한곳씩 닦아 내려간다.

③ 닦은 곳을 가볍게 두드려 물기를 말리고 다음으로 이동한다.

④ 가제수건에 물을 묻혀 얼굴, 귀, 목 순서로 닦는다. 눈을 닦을 때는 한 쪽씩 안쪽에서 바깥쪽으로 닦는다.

⑤ 겨드랑이와 팔을 닦는다.

⑥ 가슴과 배에 원을 그리듯이 닦아준다. 배꼽은 알코올 적신 면봉을 안까지 집어넣어 닦는다. 이때 아기가 우는 것은 아파서라기보다 차가움을 느끼기 때문이다.

⑦ 아기를 엎어놓고 등과 허리, 엉덩이 순서로 닦는다.

⑧ 다리 부분의 수건을 벗기고 넓적다리에서 발의 순서로 닦는다.

⑨ 마지막으로 다리를 들어 사타구니를 꼼꼼히 닦아준다. 세균감염을 막기 위해 항상 생식기에서 항문 방향으로 닦는다.

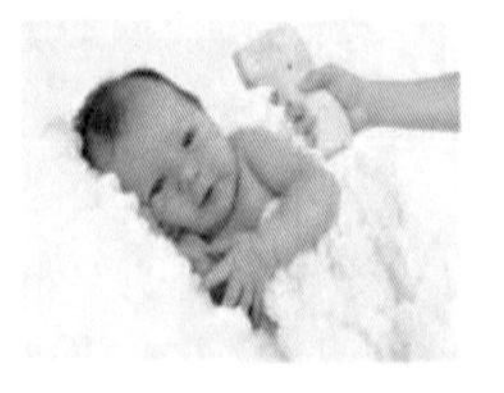
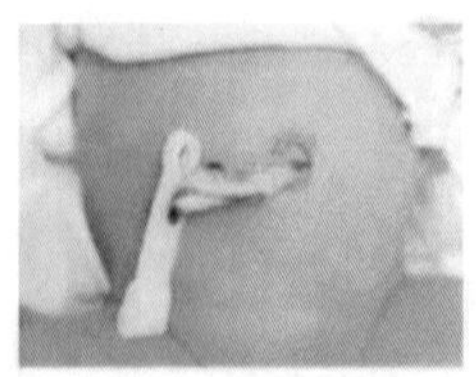
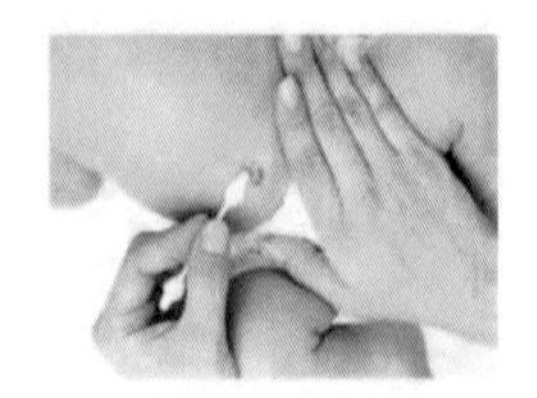

양마마의 꿀팁 !

♠ 부분 목욕도 탕 목욕(전신 목욕)과 마찬가지로 아기에게 목욕시켜 줄 거라는 것을 미리 알려주세요.
부분부분 닦아줄 때마다 예고하듯 말해주시고, 사랑스러운 말투로 다정하게 말도 걸어주세요. 이렇게 하시면 아기의 긴장감이 조금씩 사라질 거라는 거 짐작 하시죠?

아기 신체 부위별 청결 관리

면역력이 약한 신생아에게는 특히 청결관리가 더 중요하다. **누워만 있는 아기인데 깨끗하겠지 하는 생각은 버리고**, 매일 꾸준한 관심을 가지고 청결 관리를 해주어야 한다.

양마마의 꿀팁 !

♠엄마•아빠 등 아기를 돌보는 사람은 옷을 자주 갈아입어야 해요. 그래야 아기에게 옮겨지는 세균감염을 막을 수 있습니다. 또 젖을 먹이는 엄마는 하루 한 번 이상 샤워하고 옷을 갈아입으세요. 몸에 묻은 젖이 시간이 지날수록 세균이 번식되어 냄새 때문에 아기에게 스트레스가 되기도 한답니다.

1. 신체 부위별 청결 관리 요령

배꼽은 알코올을 묻혀 탯줄과 배꼽을 소독한다. 배꼽에서 진물이 나거나 빨갛게 부으면 목욕을 삼가고 즉시 병원으로 간다.

귀는 목욕 후 물기를 제거하기 위해 가제손수건으로 닦아주고 면봉으로 귓속주변을 살살 닦아준다. 면봉은 짧게 잡아야 깊게 들어가는 실수를 안 한다.

눈은 눈곱이 많이 끼었다 싶으면 가제손수건에 오일(피부 자극 방지용)을 소량 묻혀 눈 안쪽과 바깥쪽을 조심스럽게 닦아준다.

코는 목욕 후에는 습기로 인해서 콧속의 이물질이 부드러워져 있기 때문에 면봉을 짧게 잡고 살살 돌려 빼낸다는 생각으로 닦아내 준다.

손과 발은 목욕 후 물기가 남은 손가락과 발가락 사이사이를 꼼꼼히 닦아주며, 보송보송한 피부를 유지하도록 잘 말려준다.

2. 기타 청결 관리

신생아의 청결 유지는 예방적인 조치와 일상적인 관리가 필수다. 세심한 관찰력으로 신체 부위들을 지속적으로 확인하고, 필요한 경우 그때그때 부위별 관리를 해준다. 특히 초보 엄마·아빠들은 모르는 것에 대해 산후전문가분들에게 추가적인 안내와 조언을 받거나 건강 담당자와 상담하는 것도 도움 된다.

아기의 청결 관리는 위생의 중요한 부분이다. 몸은 일주일에 최소 2~3회 정도 깨끗이 씻긴다. 따뜻한 물로 생식기 부분도 청결하게 유지해야 한다. 여아는 앞에서 뒤로 닦아야 하며, 남아의 경우도 생식기 주변을 꼼꼼히 닦아주어 건강하고 산뜻하게 해주어야 한다.

아기의 **손•발톱 관리는** 손톱이 길면 얼굴을 할퀼 위험이 있으므로 손톱 깎는 가위를 사용해서 **손톱 끝이 둥근 모양**이 되도록 잘라주고, **발톱은 일자**로 잘라준다.
아기가 자기 손톱으로 얼굴을 할퀴었을 때 부모 마음은 많이 속상하고 아프다. 그러나 생각과 달리 한나절이 지나면 상처는 점점 사그라지며, 깊게 파여 피가 많이 난 상처도 전혀 흉터를 남기지 않았다. 감각과 두뇌 발달을 위해 손을 밖으로 내주자.

"아기는 엄마의 마음에 꽃을 피우고,
엄마는 아기의 세상을 빛나게 한다."

자녀를 영재로 키운
전직 산후관리사가 전하는

육아 실전수업 및 꿀팁

육아도 아는 만큼 쉬워진다.
'사랑하는 아기에게 최고의 것을 주고 싶다.'

Chapter 4

모유의 신비

✦ 아기에게 최적화된 모유
✦ 모유에는 있고, 소젖에는 없는 것
✦ 모유수유에 성공하는 길
✦ 신생아에게 모유 먹이는 법
✦ 배부른 수유의 중요성

아기에게 최적화된 모유

모유는 아기의 성장과 발달에 중요한 영양을 미친다. 모유는 아기의 영양을 충족시키고 면역 체계를 강화하는 데 필요한 핵심 영양소와 항체를 포함하고 있다. 또한, 아기의 소화 시스템에 맞추어 최적으로 조성되어 있어 소화 및 흡수가 용이하다.

이외에도 아기의 **IQ와 EQ 발달에 지대한 영향**을 끼치며, 그 어떤 다른 식품보다 많은 장점을 가지고 있다. 엄마의 영양섭취가 불균형하다 해도 생후 6개월의 아기가 먹는 모유는 매우 우수하다.

세계의 모유수유 수유율은 **35% 정도** 이고, 우리나라의 모유 수유율은 6개월 완모를 기준으로 할 때 33% 정도이며, 자식이라면 꺼벅하고 뜨거운 교육열을 보이는 우리나라 엄마들답지 않게 세계 수준에는 미치지 못한다.

수유하는 엄마의 젖가슴은 부드럽고 따뜻하다. 또 엄마 젖을 먹을 때 태내에서 듣던 심장박동 소리를 아주 가까이서 들을 수 있어 눈도 보이지 않아 불안한 신생아에게 편안함을 주는 **최고의 선물**이 된다.

♥ 1990년 Innocenti 선언 : 모든 여성이 아기에게 엄마 젖을 먹일 수 있어야 하고, 출생 후 6개월 동안 모든 아기들이 엄마 젖만으로 키워져야 한다. 그 후에는 2년간 또는 그 이상 적절한 보충식과 함께 엄마 젖을 먹여야 한다.
(이는 철저한 연구 결과에 의한 선언이다.)

-출처: 네이버

1. 모유분비 시기에 따른 분류

초유는 임신 7개월부터 유방에서 생성, 임신 후반에 유방을 누르면 유즙이 나온다. **분만 후 2일부터** 분비를 시작하여 3~4일까지 나오는 아기의 완벽한 첫 음식으로 진하고, 황색을 띠고, 양은 소량이나, 면역 성분이 매우 풍부하며, 영양가는 높으며, 특히 단백질이나 칼슘이 많다.

이행유는 초유에서 성숙유로 이행하는 시기((**생후** 5~10일)의 모유다. 초유와 성숙유의 중간에 생성된다. 분비량은 초유보다 증가하여 1일 1L에 달한다. 초유에 비해 단백질과 면역글로불린 함량은 적고 지방과 유당 함량이 높다.

성숙유는 분만 후 10일경부터 나온다. 초유의 황색은 없어지고 유백색을 띠며, 초유보다 지방과 젖당이 많다. 엄마가 섭취하는 음식과 밀접한 관련이 있으므로 질 높은 영양섭취에 각별한 신경을 써야 한다.

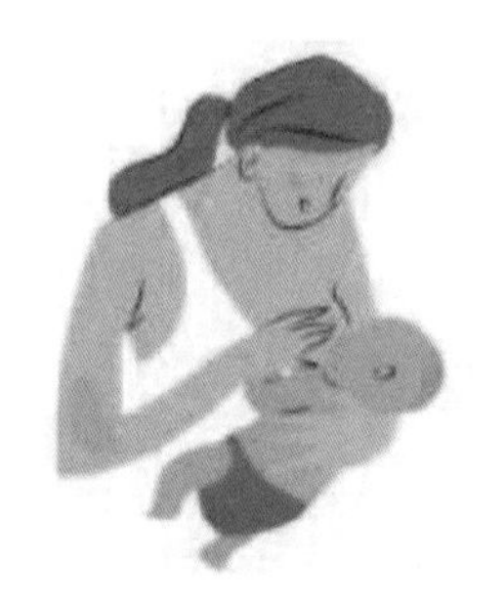

양마마의 꿀팁 !

♠수유를 시작하면 젖분비촉진호르몬이 나오면서 약 10~20분 후에 나오는 후유가 전유보다 더 진해요. 전유는 수분양이 많고, 후유는 지방이 50%정도 많고, 단백질 성분이 많아 영양가가 높고, 아기에게 포만감을 줍니다. 그래서 충분한 시간동안 아기에게 수유하는 것이 중요하지요.

2. 모유수유의 장점

1) 아기에게 주는 장점

- 소화가 잘되고, 장에서 흡수도 빠르다.
- 면역성분이 많이 들어있어 병을 예방한다.
- 아기의 두뇌발달에 매우 유리하다.
- 정서적 안정과 발달에 도움을 준다.
- 턱 운동은 건강한 영구치를, 입과 혀 활동은 정확한 발음하는 데 도움을 준다.
- 애착형성에 큰 도움이 된다.

2) 엄마에게 주는 장점

- 자궁수축을 촉진하며, 산후 회복을 빠르게 한다.
- 산후출혈을 막아준다.
- 모유수유로 인해 열량 소모가 많아 다이어트에 효과가 있다.
- 모성애를 키운다.
- 골다공증이나 유방암, 난소암의 발병률을 낮춘다.
- 호르몬 작용으로 배란이 억제되어 피임효과가 있다.
- 모유수유는 정서적인 만족도가 높아 산후우울증과 같은 정신건강에 도움을 준다.
- 모유를 먹이면서 육아에 대한 자신감이 더 생긴다.

3. 모유분비에 영향을 주는 요인

모유는 아기의 성장에 맞춰 적절하게 성분이 변화하며, 항상 일정한 온도로 즉시 공급할 수 있고, 신선하며, 위생적이다.
모유는 아기에게 가장 이상적인 영양공급 수단으로 모유수유가 가장 우선이 되어야 한다.

◆ 모유량을 좌우하는 요인

요 인	내 용
엄마 영양상태	충분한 영양을 섭취해야 모유량이 많아진다.
엄마 심리상태	스트레스, 피로는 모유분비에 영향을 준다.
수유횟수	아기가 자주, 충분히 수유해야 모유량이 증가한다.
분만횟수	대체로 초산보다 경산인 경우 모유량이 증가된다.
약물복용	약물복용으로 인해 분비량이 감소되는 경우도 있다.

모유에는 있고 소젖에는 없는 것

모유와 분유는 아기에게 영양을 공급하는 두 가지 주요한 수유 방법이다. 그러나 분유는 인공적으로 제조되어 필수 영양소와 비타민, 미네랄 등 현재까지 규명된 모유의 영양성분을 따라가기도 버겁다. 그 어떤 분유도 모유를 완벽히 모방할 수는 없다.

1. 모유와 분유의 비교

모유는 **면역방어기재**와 함께 아기의 몸으로 들어가 **면역 코팅 역할**을 하고, 우유(분유)는 3대에 거쳐 먹일 경우 유전자변이가 올 수 있다고 말한다.

모유에는 소화기 계통의 질환을 예방하는 항균단백질(락토페린)을 함유하는데, **우유**에는 들어있지 않다.
모유에는 **뇌세포 성장에 관여**하는 락토스, 콜레스테롤, 타우린이 많이 들어 있는데, **우유**에는 소량의 락토스와 미량의 콜레스테롤만 있고 타우린은 들어있지 않다.

모유는 분유와 달리 생리활성을 가지고 있다. 성장인자 호르몬, 면역학적 인자, 효소, 살아있는 세포들이 모유에 포함되어 있기에 모유를 먹는 아기들은 엄마의 면역을 지속해서 받을 수 있으므로 질병에 걸릴 가능성이 줄어든다.

모유 먹을 때는 아기 스스로 빨고, 삼키고, 숨 쉬는 것까지 조절하지만, 우유병은 아기가 빨지 않아도 흘러나와 큰 노력을 하지 않게 된다. 또한 분유에는 빈부 차이가 있어도 모유에는 빈부 차이가 없다.

분유와는 달리 모유는 엄마가 먹는 음식에 따라서 매일매일 맛이나 색깔, 냄새가 약간씩 달라질 수 있다. 그리하여 아기의 **미각과 후각발달**에 도움이 되며, **두뇌발달에도 영향**을 미친다.

양마마의 꿀팁 !

♠분유의 DHA가 모유와 비슷한 농도로 만들어졌다고 해도 아직 다 검증되지 않았으며, 인공적으로 증가한 것이 모유만큼의 작용은 할 수 없을 거라 추측합니다.
젖소를 아무리 깨끗한 곳에서 잘 관리한다고 한들 사람만 하겠는지요. 면역력이나 경제성만을 따져봐도 모유에 장점이 더 많은 것 같아요. 선택은 아기 엄마의 몫이지요.
그 어떤 선택도 존중받아야 한단 생각입니다. ~♥~

2. 젖분비호르몬의 3가지 기능

젖분비호르몬은 유두와 유방에서 분비되는 호르몬으로, 수유와 관련된 여러 가지 중요한 기능을 수행한다. 젖분비호르몬(프로락틴)은 임신하면 증가하기 시작하여 출산 시 최고치에 달하고, **분만 후 8일 만에 본래의 상태로 돌아간다.**
또 수유할 때는 일과성으로 급격하게 증가한다. 젖분비호르몬은 수유에 대비하기 위해 증가한다고 해석할 수 있다.

- 젖샘의 발육과 성장 작용
- 젖분비 작용
- 생식샘 억제 작용

젖분비호르몬이 작용하는 시기인 출산 후 일주일 내에 아기에게 자주 수유하고, 이 호르몬 분비가 많이 나오는 야간에 (**밤 10시~새벽 2시 사이**) 수유해서 충분한 젖양을 확보하는 것이 모유수유를 성공할 수 있는 최고의 조건이 된다.

생식샘 억제 작용은 출산한 산모가 분만 후 바로 배란과 월경이 일어나지 않아 임신하지 않게 된다는 것이다. 이는 출산을 한 엄마의 몸을 회복시키고 보호하는 데 도움이 된다.

◆ 프로락틴 개수 늘리기

구분	내 용
1차	48시간 이내 모유 수유 한다.
2차	일주일 이내 모유 수유 승패가 좌우된다. 이후는 늦다. 프로락틴(젖분비촉진호르몬) 개수를 늘려 놓자.
3차	계속 일정한 수유한다.(젖양이 작아도 1일 8회 이상 수유)

3. 젖분비호르몬 분비가 증가하는 자극

젖분비호르몬은 자는 것과 동시에 상승해서 **수면 중에 최고치를 유지**한다. 또 갓 태어난 아기가 모유를 먹기 위해 젖꼭지를 입에 물면 자극되어 젖분비호르몬이 증가한다. 그리고 스트레스나 임신, 에스트로겐 등에도 영향을 받는다.

모유수유를 계획했다면, 재차 언급하자면 출산 첫날부터 아기에게 젖을 물리고, 자주 수유하며, **8일 동안** 젖분비호르몬 분비가 왕성한 밤중수유도 하는 것이 나중에 젖양 걱정을 하지 않게 된다.

양마마의 꿀팁 !

♠ 젖분비 호르몬인 프로락틴은 출산 시 최고치에 달하다가 분만 후 8일 만에 원래로 돌아가 버립니다. 이 사실을 모른 채 병원이나 조리원에서 쉽게 분유를 먹이다가 집으로 돌아와서 모유를 먹이기 위해 열심히 노력하지만 대부분 젖양은 늘지않고 고생만 하는 것을 자주 봤습니다. 아기에게 수시로 젖을 물리고, 성장호르몬처럼 밤 10시~새벽 2시 사이에도 모유수유를 하면 젖양이 모자라지 않고 완모할 때까지 충분히 공급되지요. 모유수유를 계획하셨다면 다른 사람의 도움을 받을 수 있는 공간, 집안일 등을 하지 않아도 되는 조리원에서 젖양을 충분히 늘려오시길 권합니다.

모유수유에 성공하는 길

모유수유는 많은 장점과 이점을 가지고 있으며, 아기의 건강과 발달에 매우 중요하다. 가급적 출산 전에 모유수유에 대한 정보를 얻고 사전 준비를 하는 것이 좋다. 책이나 온라인 자료, 수유교실 등을 통해 기본적인 지식을 습득하고, 필요한 용품(수유패드, 유축기 등)을 준비한다.

모유수유는 시작은 조금의 어려움이 따를 수 있겠으나 적극적인 자세로 접근하는 것이 중요하며, 아기와 함께 배우면서 서로 적응하면 꼭 성공할 것이다.

1. 모유수유 성공을 위한 대비법

아기의 젖 빠는 반사 행위는 **출생 20~30분후에 최고조**에 다다른다. 이때 가능한 한 빨리 젖을 물려서 본능을 잊지 않게 해주면 그 후 많은 도움이 된다.

다시 언급하지만 젖분비호르몬(프로락틴)은 성장호르몬과 같이 **밤 10시~새벽 2시 사이에 가장 많이 분비**되므로 젖양이 걱정되거나 모자란다면 꼭 이 시간에 수유하기를 권장한다.

생후 1주일까지는 시간마다 젖을 주며, 그 후에는 2~4시간마다 모유를 먹인다. 수유간격이 4~5시간을 넘지 않도록 주의한다.
아기가 4~6개월 될 때까지 모유만 먹인다. 배고파할 때는 낮이나 밤이나 언제든지 모유를 준다.

모유수유 하는 엄마는 아기에게 필요한 열량만큼 영양가 있는 음식과 수분(**하루 2500~3000cc**)을 충분히 섭취한다.

엄마나 아기가 아플 때도 모유수유를 계속한다. 젖병이나 고무젖꼭지는 가급적 피하도록 하고, 분유, 이유식(보충식)을 병행할 때는 **모유를 먼저** 먹인다.
양쪽 젖을 교대로 먹이되, 한쪽을 완전히 빨리고 다른 쪽을 빨린다.
유두 모양이 달라도 모유수유는 가능하며, 유두보호기를 사용하는 방법도 있다.

젖을 먹이기 전에는 따뜻한 찜질을 하여 젖이 잘 나오도록 하고, 젖을 먹이고 나서는 찬찜질을 잠시 하면 좋다. (더운찜질을 오랫동안 하는 것은 바람직하지 않다)

양마마의 꿀팁 !

♠ 제차 말씀 드리지만 모유수유는 첫1주일이 좌우합니다.
요즘 대부분의 산모는 출산 후 산후조리원을 거쳐 집으로 돌아오지요. 산모가 쉬어야 한다는 생각에 주야간 수유를 하지 않고 집에 와서 젖양이 모자란다며 유축이나 마사지를 아주 열심히 하지만 젖분비촉진호르몬이 돌아가 버렸기에 노력과는 달리 젖양은 늘지 않습니다.
모유를 먹이고 싶은 마음에 젖양을 늘리려 아기에게 수유한 후 하루 8~10회 이상 유축을 하는데, 아기를 돌보면서 8회 이상 젖을 짜내기란 매우 힘이 듭니다.
조리원 퇴실 후 후회하지 않는 방법은 산후조리원에서 충분한 젖양을 늘려오는 현명함입니다.

2. 탄생 첫날부터 모유 먹이는 방법

날 짜	모유수유 간격	모유수유 시간
첫 날	하루 종일 원할 때마다 먹인다	양쪽 5분씩
이틀째	2시간 간격으로 먹인다	양쪽 10분씩
사흘째	2시간 반 간격으로 먹인다	양쪽 15분씩
나흘째	2시간 반~3시간 간격, 한 번에 한쪽 젖 먹이기를 시작한다	

출처- 책 〈베이비 위스퍼〉 내용 중에서

신생아에게 모유 먹이는 법

모유수유를 성공하기 위해서는 출산 전부터 적절한 가슴 마사지나 따뜻한 타월 찜질로 유관의 막힘을 예방하도록 미리 준비하는 것이 바람직하다.

처음에는 엄마와 아기 모두 서툴다는 것을 인식하고, 연습한다는 생각으로 편안한 마음과 경직되지 않는 자세로, 자주 물리다 보면 모유수유 고수의 경지에 오를 것이다.

1. 배고픈 아기가 보내는 신호

배고플 때 아기가 보내는 신호는 여러 가지다. 감정이 발달하지 못한 신생아에게서 신호만을 의지하지 말고 시간과 상황을 잘 살펴 젖을 먹이는 것이 요령이다.

- 뺨에 손을 대면 그쪽으로 고개를 돌리며 쪽쪽거린다.
- 젖 빠는 시늉을 한다.
- 눈을 요리조리 돌리며 보고 있다.
- 혀와 입을 움직인다.
- 조금씩 소리를 낸다.
- 손을 입으로 가져간다.
- 팔을 구부린다.
- 다리를 자전거 돌리듯이 움직인다.
- 손을 주먹 쥔다.
- 가장 마지막으로 보내는 신호는 우는 것이다.

양마마의 꿀팁 !

♠ 초보 엄마는 아기가 배고프다고 울면(신호를 보내면) 다급해지고 뭐부터 할까? 망설이며 긴장합니다. 이때 최우선으로 할 일은 우는 아기에게 다가가 "배고프구나.", "엄마가 얼른 준비해서 맘마 줄 게, 조금만 기다려 줘"라고 말을 건네 주세요. 이런 행동을 반복적으로 해주면 발걸음 소리만 들어도 아기는 안정감을 갖게 됩니다. 아기의 신호에 민첩하게 반응해 주는 것이 '엄마와 아기의 상호작용' 첫걸음입니다.

2. 젖 물리는 여러 자세

젖 물리는 자세는 아기와 엄마 상황에 맞는 자세를 찾는 게 중요하다.

- **앉아서 먹이기**는 가장 일반적인 자세다.
- **옆구리에 끼고 먹이기**는 제왕절개 후 수술 부위가 아플 때, 가슴이 너무 불어서 클 때, 아기가 작을 때, 편평유두, 함몰유두일 때 먹이면 좋은 자세다.
- **누워 먹이기**는 분만 직후, 밤에 자면서 수유하기 좋은 자세이다.
- **풋볼 자세(미식축구)**는 울혈이 있을 경우 좋다.
- **교차 요람식 자세는** 유방이 큰 산모나 초보 엄마에게 유리하다.

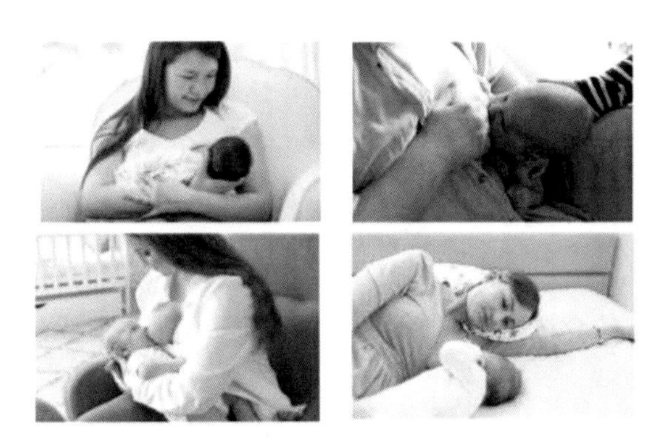

3. 젖 물리기 (대부분 수유쿠션 사용)

젖을 물릴 때에도 아기 입속에 젖꼭지부터 넣지 말고 **"맘마먹자."** 라는 말을 먼저하고, **노크**한 다음, 아기가 준비됐다는 표시로 입을 크게 벌릴 때 유두를 깊게 넣어준다.

1단계: 유두로 아기의 입을 똑똑 노크하듯 자극해 준다.
2단계: 아기가 입을 크게 벌릴 때까지 잠깐 기다린다.
3단계: 아기의 혀가 유두 아래로 오게 물린다.
4단계: 가능한 한 많은 유륜부분이 물리도록 깊게 넣어준다.
아기의 코, 뺨, 턱이 모두 가슴에 닿게 한다.

엄마와 아기의 심장이 따뜻해야 모유수유가 수월해진다.

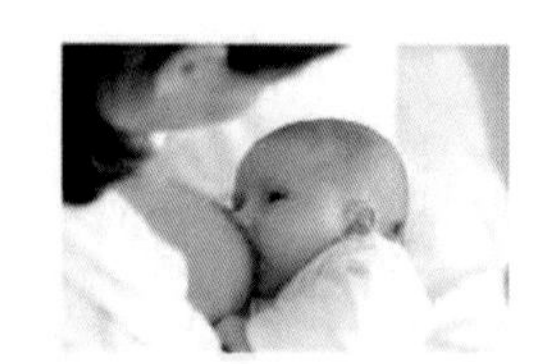
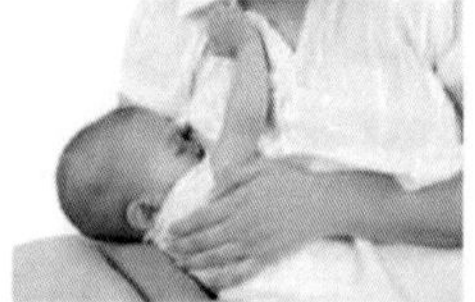
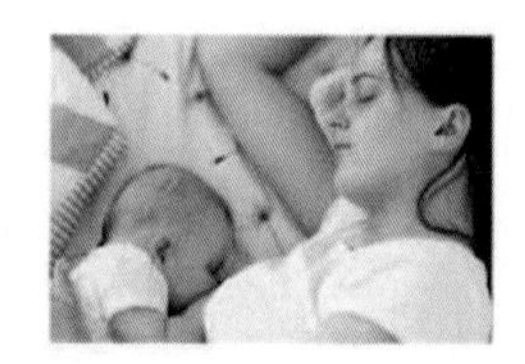

양마마의 꿀팁 !

♠ 모유수유는 운전하는 것과 같아요. 한번 배우면 잊어버리지 않고 연습하면 어느 순간 감이 오지요. 모유수유를 위해 최선을 다하는 엄마에게는 격려를, 엄마 젖을 열심히 빨아 먹는 아기에게는 칭찬을 해줍니다. 이러면 모유수유의 성공 확률은 당연히 높아져요.

4. 젖 먹이기

1) 수유 전 손을 씻고, 젖꼭지를 소독면으로 닦아 깨끗하게 한다.
2) 처음 며칠 동안은 젖꼭지를 아기의 볼에 대주어 아기가 고개를 돌려 스스로 젖을 빨도록 한다.
3) 젖을 물릴 때 유륜(검은 부분)까지 아기 입안에 들어가게 한다.
4) 아기의 코가 막히지 않도록 주의한다.
5) 수유시간은 한 번에 **15~20분**이 적당하다.
   (5분 만에 배불리 먹고 4시간씩 자며 잘 크는 아기도 있다)
6) 수유가 길어지면 엄마젖이 부족한 것은 아닌지 살펴봐야 한다.
   (아기는 배가 부르면 혀를 내밀고, 고개를 돌려 젖꼭지를 뺀다)
7) 양쪽 젖을 고르게 다 먹이도록 한다.
8) 엄마의 시선은 항상 아기의 눈과 마주 보며 웃는 얼굴로 대화를 나누어 준다.
9) 다 먹인 후 아기를 세워 안고 트림을 시킨다.
10) **수유 초기인 경우** 먹다 남은 젖은 반드시 짠다. 젖을 그대로 두면 젖양이 늘지 않으며, 유선염의 원인이 된다.

젖 물릴 때 아기가 마구 울면 젖가슴을 아기 입에 막무가내로 밀어넣지 마라. 잠시 달래며 그치길 기다렸다가 다시 시도하는 것이 더 좋다. "빨리 안줘서 속상했구나! 미안해!"등의 말을 해주고, 아기 기분을 살피며, 한 사람으로써 존중해 줘라.

배부른 수유의 중요성

배부른 수유는 표현을 제대로 못 하는 아기의 수유 과정에서 매우 중요한 요소다. 이는 충분한 양을 섭취해야 알맞게 성장하고, 면역 체계를 강화할 수 있으며, 만족감과 안정감을 가질 수 있기 때문이다.

배부른 수유로 인해 아기는 스트레스가 줄어들어 잘 놀고 잘 것이며, 엄마는 육아의 어려움보다 자신감을 갖게 되어 둘 다에게 긍정적인 영향을 미친다.

1. 제대로 먹고 있는지 확인하기

- 아기가 관자놀이까지 움직이며 '빨고, 빨고 삼키고 쉬기', '빨고, 빨고 삼키고 쉬기'를 규칙적으로 하는지
- 아기의 윗입술은 위로 아랫입술은 아래로 크게 벌어져 있는지
- 꿀꺽꿀꺽 젖 삼키는 소리가 나는지
- 유륜까지 아기의 입으로 들어가 있는지
- 빠는 중간에 엄마의 유두에 통증이 없고, 빨고 난 후 유두 전체가 분홍색이고 상처가 없고 모양의 변화가 없는지
- 수유 후 유방의 팽만감이 완전히 없어지고 가벼워졌는지
- 수유가 끝나면 아기가 만족스러워하고 잠을 잘 자는지

2. 배부른 수유

수유로 인해 아기는 반드시 배가 불러야 한다. 이는 매우 중요하다. 배가 부르지 않으면 수유가 아니다. 시간으로는 젖을 먹이는 게 아니다. 아기에 따라서는 5분만 먹여도 배가 부를 수 있다. 이는 **몸무게가 늘어나는 것으로 확인**된다.

아기가 잠들어 버리기 전에 수유를 마치고, 먹다가 잠이 들었다면 바닥에 내려놓고 싸개나 기저귀를 열어 **선명하게 깨워서 배부르게 수유**해야 한다.

양마마의 꿀팁 !

♠ 아기가 배부르게 먹는 것은 포만감의 경험으로 만족감을 느끼게 되죠. 충분한 영양공급으로 인한 뇌 발달과 세상은 살기 좋은 곳이라는 생각을 갖게 됩니다.
이는 어른이 되어서 어려움이 왔을 때 좌절하지 않는 21세기형 회복탄력성을 갖춘 사람으로 자란다는 뜻이 되기도 하죠. 이런 의미에서도 배부른 수유는 아주 중요합니다.

아기의 등에 손바닥을 대면 움직임에 따라 먹는지 안 먹는지 알 수 있다. 아기마다 1회 먹는 양이 다 다르며, 신생아 시기는 **하루 30~50g씩** 자라지만 잘 먹이고 있는지 매일 확인은 어려우므로 1주일 단위로 아기의 몸무게를 측정하여 확인한다.

일주일에 약 200~300g씩 증가하면 배부른 수유를 했다는 증거가 되며, 이로 인해 아기는 푹 자게 되므로 오히려 밤중 수유를 줄이는 효과를 가져 온다.

3. 아기가 모유를 충분히 먹었는지 확인하는 방법

아기가 충분한 양의 모유를 섭취하려면 적절한 수유 시간과 빈도가 필요하다. 일반적으로 신생아는 **하루에 8~12회 정도 수유**해야 하며, 수유 시간은 약 **15~30분 정도 소요**된다.

모유수유를 할 때 아기의 입술이 젖꼭지 주위에 꽉 붙어있고, 턱과 귀 사이의 움직임과 아기의 젖 삼키는 소리를 들어보면 젖 빠는 상태를 판단할 수 있다.

또 아기가 젖을 빨 때 한꺼번에 10분 이상 빨았는지, 하루 6~8회 기저귀를 적셨는지, 하루 한 번 이상 대변을 보았는지, 수유하고 난 후에 유방이 부드러워지는 것을 느꼈다면 충분한 수유를 한 것이라고 봐도 무방하다.

양마마의 꿀팁 !

♠ 잘 먹고 있는지를 확인하는 또 다른 방법으로는 매주 똑같은 요일에 한 번씩 아기의 몸무게를 재보는 것입니다. 아기가 잘 먹고 있다면 일주일에 200~300g씩 몸무게가 늘어나지요. 100g 이하나 400g 이상 늘면 의사와 상담해보시길 권합니다. 아기 몸무게를 재는 체중계가 시중에 나와 있지만 꼭 그걸 살 필요 없이 집에 있는 일반 체중계를 사용하시면 됩니다. 엄마가 먼저 체중계에 올라가 몸무게를 확인한 후, 아기를 안고 다시 체중계에 올라가 몸무게를 확인하여 두 몸무게 차이를 계산하면 아기가 일주일간 얼마나 컸는지 알 수 있지요. 앞에서 언급한 것처럼 급성장시기인 영아기 때는 잘 크고 있는지 확인하는 방법은 몸무게를 재보는 것 입니다.

4. 남은 젖 손으로 짜내는 방법

모유수유 초기에 젖양을 늘리기 위해서 아기가 **먹다 남은 젖을 짜낸다**. 모유를 짜내는 방법은 크게 두 가지로 유축기를 이용하거나 손으로 짜내는데 후자를 안내하려 한다. 여기서 가장 중요한 것은 너무 세게 압력을 가하지 말라는 것이다.

- 유방과 같은 쪽 손의 엄지와 검지를 젖꼭지 근처에 댄다.
- 젖꼭지 주변을 조금 넓게 잡아 누른다.
- 젖꼭지 주변을 360° 회전하면서 골고루 짜낸다.
- 젖이 어느 정도 짜졌다면 유방 전체를 압박하면서 짜낸다.

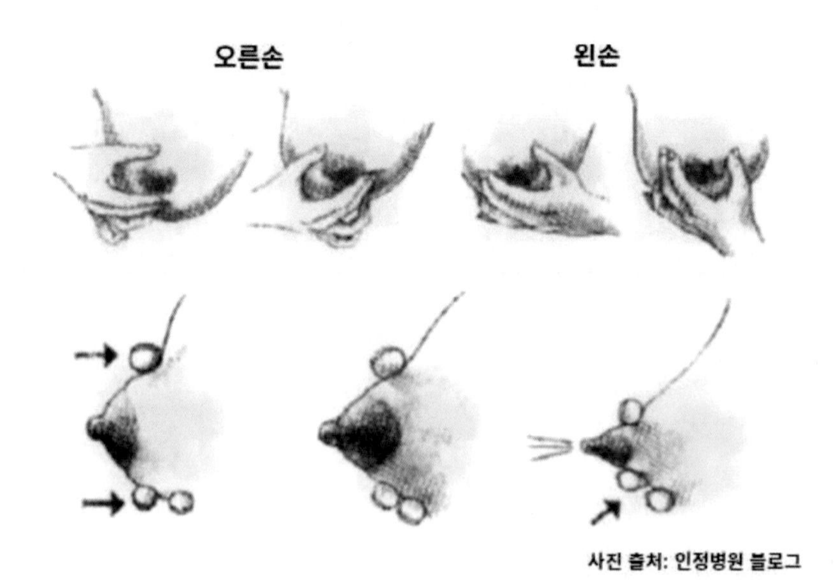

사진 출처: 인정병원 블로그

5. 아기가 갑자기 많이 먹으려 할 때

아기는 항상 똑같은 속도로 자라지 않는다. 급성장하는 시기와 활동이 증가하는 시기가 있다. 급성장기인 생후 2~4주와 6주, 3개월쯤 아기가 갑자기 많이 먹으려 하면 엄마는 충분한 영양과 수분을 섭취하고 잘 쉬면서 더 자주 수유를 해줘야 한다.

신기하게도 모유는 자주 먹이면 아기가 필요한 만큼 만들어져 아기의 욕구를 충분히 채워준다. 이 시기가 지나면 아기는 점차 적게 먹고 모유 공급도 줄어들게 된다.

양마마의 꿀팁 !

♠ 생후 3~4일에 출생 당시 체중의 5~7%가 감소합니다. 일주일 정도가 지나면 출생 시 체중으로 회복되어야 하지요. 이 시기에 너무 많이 감소한다면 모유를 먹이면서 분유도 보충해주세요. 엄마 젖을 먹는 요령이 습득되지 않아 제대로 먹지 못하고 있는 중일 수 있기 때문입니다.

6. 젖양이 부족한 경우 (아래에서 자신의 경우를 찾는다)

출산 후 첫 한주는 모유의 분비량이 조절되는 과정에서 젖양이 부족할 수 있다. 이는 엄마와 아기의 적응 문제로 인해 발생할 수 있으며, 일반적으로 시간이 지나면서 좋아진다.

아기의 반사작용은 **생후 20~30분이 가장 활발한 시기**다. 이 시기 깨어 있을 때 미각, 후각, 청각 등 감각에 대한 반응이 민감하게 나타나며, 가장 절정에 이르러 모유를 수유하는데 가장 좋은 타이밍이다.

육체적, 정신적인 이유로 모유수유를 할 수 없는 엄마는 매우 드물다. 젖양이 부족한 원인이 무엇인지 아래 내용들을 확인해 보고, 그 해결책을 찾아 충분한 모유수유를 한다.

- 최초의 모유수유가 늦어졌을 때
- 수유를 자주 하지 않을 때 (짜내거나 계속 자극을 주어야 한다)
- 출산 초기 젖양이 적다고 분유를 먹일 때
- 호르몬 분비가 가장 많은 밤에 수유하지 않을 때
- 시간 간격을 많이 두고 먹일 때
- 수유 자세가 올바르지 않거나 젖을 잘못 빨 때
- 아기가 약해 젖을 빨 힘이 없거나 졸릴 때다.
- 엄마와 아기가 오랫동안 떨어져 있을 때,
- 유두 통증이 젖의 분비를 방해할 때,

• 충분한 휴식을 취하지 못해 피로하고 스트레스를 많이 받을 때,
• 엄마의 불안과 초조,
• 집안 분위기가 좋지 않을 때,
• 모유수유에 대한 확신이 없을 때,
• 엄마가 약을 먹거나 담배를 피우고,
• 술을 마실 때,
• 영양이 풍부한 음식을 섭취하지 않아 젖이 불지 않을 때,
• 충분한 수분 섭취를 하지 않을 때 젖양이 부족할 수 있다.

아기를 통해서도 젖양이 부족한지를 알 수 있다. 수유한 지 20분 이상 지나도 젖을 놓지 않으며 억지로 빼면 울 때, 다 먹고 만족한 표정이 아닌 언제나 언짢은 울음을 울 때, 매번 먹은 지 1~2시간 지나지 않아 젖 달라고 보챌 때 부족하다.

또 아기가 급성장기에 들어 젖이 제때 충족되지 못할 때, 아기의 하루 체중이 **하루에 15g 이상 늘지 않을 때** 젖양이 부족함을 알 수 있다.

7. 젖양이 너무 많을 때 줄이는 방법

젖양이 너무 많으면 한쪽 젖만 먹이는 것이 젖양을 줄이는 데 도움이 된다. 한쪽 젖만으로 후유까지 다 먹여 비우고 다른 쪽은 불편하지 않을 정도만 젖을 짜내준다. 다음 수유할 때 이를 반대로 하면 젖양은 점차 서서히 줄어든다.

양마마의 꿀팁 !

♠젖양이 지나치게 많은 경우 양배추가 도움이 됩니다.
양배추 큰 잎을 뜯어 굵은 심부분은 제거하고 씻어 물기를 뺀 뒤 냉장고에 넣었다가 유두만 제외하고 양배추 잎을 유방에 통째로 붙이거나 여러 조각으로 나눠 붙이세요. 이를 브래지어로 고정해요. 양배추 잎을 2~3시간마다 교체해줍니다.

젖양에 따라 양배추 잎이 따뜻해지거나 시들해질 때까지 붙이고 있으면 젖양이 줄어듭니다.
탱탱하던 가슴통증이 사라지고 젖이 줄면 중단해야 부족하게 되는 것을 막을 수 있어요. 자주 사용하면 젖이 지나치게 줄거나 말라버릴 수 있으니 이 점 주의해야 합니다.
만약, 단유를 원하신다면 마를 때까지 양배추를 붙이세요.

8. 아기가 갑자기 모유수유를 거절하는 원인

아기가 갑자기 모유수유를 거절하는 원인은 다양하다. 수유 자세가 잘못되었거나 유두 혼동이 왔을 때 그리고 강한 모유 분비로 인한 질식을 경험했을 때도 모유수유를 거절한다.

아기의 입속에 염증(아구창)이 생겼을 때나 향이 강한 음식 섭취 등으로 모유의 맛이 변했을 때, 중이염으로 젖을 삼킬 때 귀가 아픈 경우, 엄마 냄새가 바뀌었을 때(샴푸, 향수, 섬유유연제, 흡연 등) 모유수유를 거절할 수 있다.

9. 모유 수유아의 생후 1년간의 성장 발달

모유는 영양가가 풍부하며 아기의 성장에 필요한 모든 영양소를 제공한다. 따라서 모유를 충분히 섭취한 경우, 생후 1년 동안 지속적인 체중 증가를 보일 것이다.

아기는 생후 1년 동안 신체적인 발달로 목뒤에 근력이 강해지고, 머리를 들고 앉을 수 있게 되며, 기어 다니고, 서고, 걷기 등의 움직임을 배우게 된다. 손목과 손가락 운동능력이 향상되어 장난감을 갖고 논다.

사회적 상호작용과 의사소통 능력도 점차 발전한다. 웃음 짓고, 대화 형태로 소리 내거나 몸으로 반응하며 주변 사람들과 소통할 준비를 한다. 언어의 이해와 표현 능력이 점차 향상되며, 사물에 대한 호기심과 탐구 욕구도 커지면서 인지적인 개발이 진행되기 시작한다.

탄생의 순간부터 살펴보면 생후 첫 3~4일간 체중감소 현상은 정상이다. 대부분의 아기는 1~2주 이내에 출생 시의 체중을 회복한다. 이후 1개월까지는 출생 시 체중보다 1~1.2kg 더 증가한다.

생후 2개월까지 1주당 200~300g씩 체중이 증가하고, 3~4개월까지 1주당 100~200g씩 체중이 증가하며, 4~6개월까지 1주당 85~150g씩 증가한다. 그리고 5~6개월까지는 출생 시 체중의 두 배가 되며, 6~12개월까지 1주당 40~85g씩 체중이 증가한다.

아기의 신장은 매달 평균 0.5인치, 머리둘레는 매달 0.25인치씩 증가하고, 1살이 되면 출생 시 몸무게의 약 2.5 배가 되고, 신장은 50%, 머리둘레는 33%로 증가한다. 아기는 생후 1년간 엄청난 성장과 발전을 해왔음을 알 수 있다.

"아기는 엄마의 품에서 세상을 배우고,
엄마는 아기의 성장을 돌보고 응원한다."

자녀를 영재로 키운
전직 산후관리사가 전하는

육아 실전수업 및 꿀팁

육아도 아는 만큼 쉬워진다.
'엄마의 건강은 아기의 행복을 이루는 첫걸음이다.'

Chapter 5

•

모유 수유

- ✦ 모유 유축과 보관(저장) 및 데우는 방법
- ✦ 유방 관리 및 마사지
- ✦ 모유수유의 문제점 및 해결 방법
- ✦ 모유와 분유 수유 시 차이점

모유 유축과 보관 및 데우는 방법

모유 유축은 아기가 모유를 직접 먹일 수 없을 때 보관할 모유를 확보한다는 의미 이외에도 아기가 빠는 것을 대신 하여 모유의 양을 늘려줄 수 있다. 또 유방에 젖이 차는 것을 막아 울혈을 예방해 주고, 젖이 불어 엄마가 불편해하는 것을 막아주는 의미도 있다. 그리고 젖이 새는 것도 막아주고, 사출을 자극해 젖을 잘 빨지 못하는 아기가 쉽게 젖을 먹을 수 있게 도와주기도 한다.

출산 처음에는 젖이 많이 고여 유방이 팽팽해지는 것이 아니라 늘어난 임파선과 혈관 및 부종도 큰 원인이다. 따라서 젖을 짜도 나오지 않고 아프기만 할 경우 너무 무리하지 말고 조금씩 자주 짜도록 한다. 이때는 손 유축을 권한다.

1. 모유 유축하기

젖의 깊은 곳에서부터 모두 나오도록 유방을 바깥쪽으로부터 가운데 쪽으로 깊게 누른다. 유축기에만 의존하여 젖을 짜면 젖꼭지 근처에 있는 젖만 나오기 쉬우므로 손으로 유방의 깊은 부분까지 눌러서 꼭 짜야 한다. 유방에 젖이 남지 않도록 완전히 비워야 하며, 시간이 지나 또 고이면 다시 완전히 짜내야 한다.

초유는 손으로 짜는 것이 유축기로 짜는 것보다 잘 짜진다. 손으로 젖을 짤 때는 아프지 않게 하는 것이 중요하다.
한쪽 젖에 3~5분 정도 짜고, 다른 쪽도 3~5분 짜고, 번갈아 가면서 짜는 게 좋다. 이렇게 한번 젖을 짜는 시간은 20~30분 정도 소요된다.

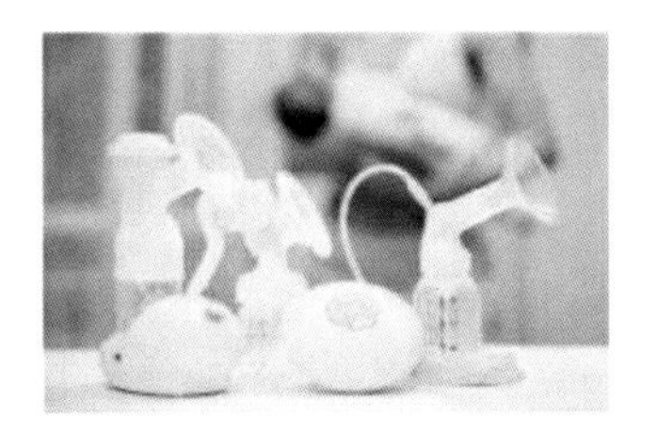

2. 유축한 모유의 보관(저장) 방법과 기간

모유에 들어있는 대식세포는 세포 찌꺼기, 이물질, 미생물, 암세포, 비정상적인 단백질 등을 집어삼켜서 분해하는 기능이 있으며, 선천 면역(비특이적 방어기전) 뿐만 아니라 림프구와 같은 다른 면역세포와 상호작용을 통해서 적응 면역(특이적 방어기전)을 시작하는 데도 중요한 역할을 한다.

모유 유축과 보관방법

① 유축기로 양쪽 유방 모두에서 젖을 짜낸다.
② 짜낸 젖을 모유 저장 팩에 담아 오염방지를 위해 꼭 밀봉한다.
③ 냉동 시 부피가 증가하므로 저장 팩에 가득 채우지 않는다.
④ 냉동보관 시 3개월이 지나면 지방 성분이 분해된다.
⑤ 밀봉된 팩에 날짜와 시간을 기재하여 저장한다.
(실온 보관은 병에 그대로 두었다 중탕하여 먹인다)
⑥ 한 개의 저장 팩에는 한 번에 짠 모유만 담는다.
⑦ 저장 팩에는 1회 먹일 분량만큼 나누어 보관한다.

양마마의 꿀팁 !

♠ 아기 몸속에 들어오는 나쁜 세균을 잡아먹는 모유 속에 들어있는 면역성분(대식세포)은 엄마가 직수를 할 때 100%로 아기에게 전달됩니다.
실내 > 냉장실 > 냉동실 순으로 보관이 길어질수록 면역성분은 차츰 줄어들지요. 가급적 빨리 먹이세요.

실온보관은 실내온도 24~26℃에서 **4시간**, 22℃ 기준으론 6시간까지 가능하다. 먹이다 남은 젖은 1시간이 지나면 아기의 타액이나 공기의 유입으로 세균이 번식할 수 있으니 아까워 말고 버린다.

냉장보관은 5℃의 냉장고에서 **72시간**(3일) 보관이 가능하다. 냉장된 모유는 지방 성분이 노랗게 뜨는데 중탕하여 37℃ 이상 되면 다시 융해되므로 잘 흔들어 먹인다.

냉동보관은 영하 6℃ 냉동고는 **3개월**까지 보관할 수 있으며, 영하 20℃에서는 12개월까지 장기 보관이 가능하다. 냉동 젖이 완전히 녹은 후에는 **24시간 냉장 보관이 가능**하며, 해동 후 다시 냉동시켜서는 안 된다. 냉동실 문에 보관하는 것은 절대 안 되며, 가장 오래된 것부터 먹인다.

◆ 유축한 모유 온도에 따른 보관 기간

구 분	실온(25°C)	냉장실(5°C이하)	냉장실(5°C이하)	저온냉동실(-20°C이하)
신선한 모유	4~6시간	72시간 (3일)	3개월	12개월
냉동에서 해동시킨 모유	보관안됨	24시간 (1일)	다시 냉동 안 됨	

양마마의 꿀팁 !

♠ 냉동된 모유를 녹이는 방법

냉동실에 보관된 것을 곧장 실온에 꺼내놓고 보관하거나 녹이면 안 돼요. 꼭 냉장실에 옮겨두었다가 액체 상태가 되면 데워서 아기에게 먹이세요. 냉동된 모유를 냉장실에 12시간 정도 놔두면 녹습니다. 하루 전에 꺼내놓으세요.

3. 보관된 모유 데우기

유축한 모유를 실온이나 냉장, 냉동실에 보관하고 있다가 아기에게 먹이기 위해서 데운다. 젖병은 청결하게 소독된 유리병이나 식품 등급 재질의 플라스틱병을 사용한다. 이때 아기가 배고파 울기 전에 수유 시간을 예측하여 미리 데워두는 센스를 발휘한다.

냉동실에 보관한 유축모유는 냉장실에서 녹이고, 냉장실에 보관한 유축모유는 실온에 약간의 시간을 주어 온도를 조절하는 방법도 있다. 이렇게 보관된 모유는 젖병에 담아 **중탕**으로 알맞은 온도가 될 때까지 데워 먹인다. 이때 중탕에 쓸 물은 너무 뜨겁지 않게 가급적 50℃ 이하의 물을 사용하고 물이 차가워지면 버리고 다시 부어가며 데운다.

전자레인지는 젖이 균일하게 데워지지 않아 아기에게 화상을 입히기 쉽고, 젖의 면역성분을 포함한 단백질과 비타민을 파괴할 수 있으므로 피해야 한다. 또 전자레인지에서 너무 오래 데울 경우 병이 폭발할 위험이 있고, 병으로부터 환경호르몬도 나올 수 있다.

모유가 녹으면 지방 성분이 위로 떠올라 층이 지게 되는데 살살 흔들어 아기에게 주면 된다. 숟가락으로 젓거나 심하게 막 흔드는 것은 모유의 여러 가지 성분에 물리적인 충격을 가할 가능성이 있으므로 피하는 것이 좋다. 이때 가장 중요한 것은 아기가 먹기에 알맞은 온도인지 필히 확인하는 것이다.

양마마의 꿀팁 !

♠ 같은 온도에 보관된 모유는 섞어도 됩니다. 만약 조금씩 짜낸 모유라면 각각 냉장고에 보관했다가 온도가 같을 때 먹여야 할 양을 맞춰 수유하면 되지요. 냉장고에 있던 모유가 먹다 남았을 때 1시간 이내로 소비하셔야 합니다.

냉동모유 해동은 냉장고에서 천천히 해동하세요. 고온에서 해동할 경우 모유의 면역성분 등 주요 영양소가 파괴되기 때문입니다.

유방 관리 및 마사지

유방 관리와 마사지는 모유 수유를 원활하게 유지하고 아기의 영양 공급을 지원하는 데 중요한 역할을 한다.

유방 관리는 유방 건강을 유지하고 감염 및 염증의 위험을 줄이는 데 도움이 되며, 갇힌 모유를 방출하여 통로를 개방시키고, 유방 조직의 혈액 순환을 촉진하여 축적된 모유나 붓기를 완화하는 데 도움이 된다.

특히 마사지는 모유 분비량과 호르몬 분비에도 영향을 주어 젖양을 증가시키는 데 역할을 한다. 성공적인 모유수유를 위해 구체적인 유방 관리와 가벼운 마사지를 권한다.

1. 유방의 구조

유두(젖꼭지)는 유방의 중앙부에 있으며 모유가 나온다. 약 **15~20개의 젖관** 구멍이 있는 이곳을 통해 아기가 젖을 빨아 먹는다. 유두에는 땀샘이 존재하므로 청결하지 않으면 배꼽과 같이 곱이 끼고, 냄새가 나기도 하며, 함몰유두에서는 더욱 심할 수 있다.

유륜(젖꽃판)은 유두를 둘러싼 원형의 짙은 색 피부를 말하며 유륜에는 땀샘과 피지선인 몽고메리 샘이 있다.

유관(젖관)은 한 층의 세포로 이루어진 관 모양의 구조물로 유선에서 만들어진 모유를 유두로 운반한다. 약 15~20개의 관이 있다.

유선(젖샘)은 한쪽 유방에 **20~30개** 있으며 유방 전체에 퍼져있다. 임신이나 수유 중 모유를 생산하여 유관을 통해 유두로 연결된다.

유엽은 15~20개가 있으며 각각의 유엽은 모유를 만드는데 여러 개의 소엽으로 이루어져 있다. 소엽에서 만들어진 젖은 유관을 통해 유두로 배출된다.

섬유조직은 유방 전체에 둘러싸여 유방 형태를 유지해 주는 역할을 하며, 이 섬유조직이 잘 발달하고 많을수록 유방은 탄력 있게 느껴진다.

지방조직은 유방 전체에 퍼져있으며, 지방조직이 많을수록 유방은 부드럽게 느껴진다. 그러나 나이가 들어 유선조직이 퇴화하고 지방조직만 남게 되면 유방은 탄력을 잃고 아래로 처지게 된다.

가슴근육은 가슴의 모양을 유지하고 어깨와 팔운동이 가능하도록 도와준다. **유방 뒤쪽의 지방조직**은 흉 근막과 유방을 분리시킨다.

[유방 구조]

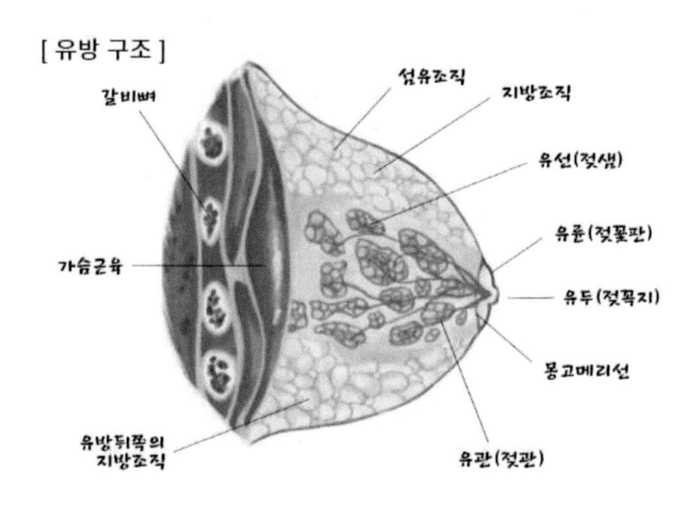

2. 원활한 모유수유를 위한 유방 마사지

출산 초기에는 유방이 딱딱하기 때문에 **수유 15분 전쯤** 유방 마사지를 하면 모유가 잘 나오고, 아기가 유륜까지 물고 먹기에도 수월하다. 수유를 위한 유방 마사지의 기본은 부드러움이다. 살짝 풀어준다는 느낌이 가장 좋다.

샤워하며 유방을 가볍게 마사지하거나 따뜻한 물수건으로 유방을 감싼 뒤 마사지한다. 유방 마사지 전에는 아기가 수유해야 하니 가슴을 드러내놓고 마사지하는 경우 손을 깨끗하게 씻어야 한다.
수유한 후에는 차가운 물수건으로 냉찜질한다.

양마마의 꿀팁 !

♠ 젖몸살이 심한 경우 붓고 딱딱해져 바로 마사지하면 통증이 심할 수 있어요. 먼저 스팀타월로 찜질한 후 부드럽게 풀어주세요. 아기가 먹는 양보다 모유량이 많을 경우 젖몸살이 오면 자꾸 짜내는데 그러면 모유량이 더 많아집니다.
양 조절을 위해서 앞에서 말씀드렸던 양배추잎을 짧은 시간 사용해 보시는 것도 좋은 방법이에요.

유방 마사지 요령

1. 마사지할 유방의 위·아래를 양손으로 크게 감싸듯 댄다.
2. 1의 상태에서 아래 그림1과 같이 좌우로 움직여 마사지한다.
3. 아래 그림2와 같이 손 위치를 바꿔 상하로 가볍게 움직이며 마사지한다.
4. 아래 그림3처럼 손가락을 접은 상태에서 유방 중앙 쪽으로 살짝 살짝씩 밀어준다.
5. 마사지할 반대쪽 손으로 아래 그림4와 같이 감싸 유방을 가볍게 잡고 눌러준다.

6. **수유 직전** 위 내용을 (상하좌우 가볍게 마사지) 2~4회 정도 실시한다.

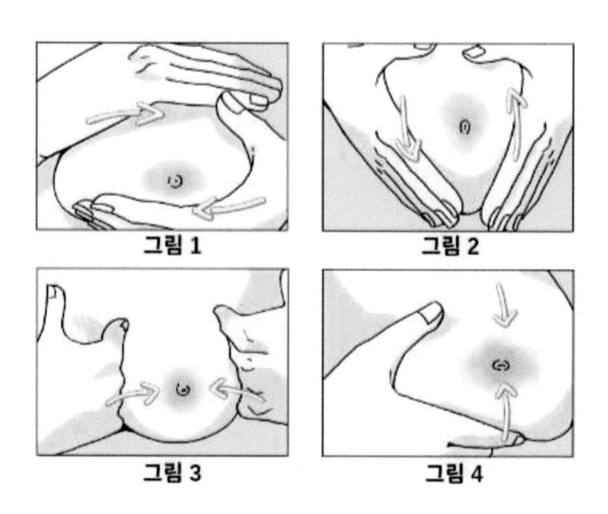
그림 1 그림 2 그림 3 그림 4

3. 유방 청결 관리

젖꼭지는 아주 작은 상처에도 세균이 침입해 유선염 등을 일으킬 수 있으므로 젖꼭지나 유방은 항상 청결하게 하는 것이 중요하다.

유두와 유륜은 비누칠을 하지 않고 깨끗한 물로만 씻는다. 비누칠하면 건조해져서 갈라지고 피가 날 수 있다. 또 유두에는 자극성 물질(알코올, 로션, 오일 등)을 바르지 않는다.

샤워는 하루에 한 번 정도가 좋다. 수유 전 유방을 씻는 것은 젖이라고 식별할 수 있는 냄새를 변하게 한다. 샤워 후 바로 수유를 해야 한다면 젖을 한 방울 정도 짜서 유륜까지 발라주면 아기가 엄마의 젖 냄새를 식별하는 데 도움이 된다.

4. 모유수유 엄마의 영양관리

모유를 수유하는 산모는 분유를 먹이는 산모보다 **열량을 300~500cal 더 섭취**해야 하며, **물은 800~1000ml를 더** 마셔야 한다.

모유를 수유하는 경우 분유를 수유하는 경우보다 열량이 더 소모되므로 잘 먹어야 한다. 5대영양소를 골고루 섭취하되 특히 양질의 단백질, 철분, 칼슘 등을 충분히 섭취하여 아기에게 꼭 필요한 영양공급이 되도록 해야 한다.

모유수유 시 짜거나 단 음식은 삼가는 게 좋으며, 술, 담배, 카페인 등도 모유를 통해 아기에게 전달돼 칭얼댈 수 있으므로 금해야 한다.

아기가 하루에 먹는 수유량은 700~1,000cc 정도이다. 아기에게 모유수유하면 수분을 빼앗기므로 엄마는 물을 일반인보다 500ml 이상 더 섭취해야 건조함을 막고 산후어혈을 풀어주는 데 도움이 된다. 모유수유 엄마의 영양관리는 '엄마 편'에서 자세히 서술하려 한다.

모유수유 문제점 및 해결 방법

세계보건기구는 생후 6개월까지 아기에게 엄마 젖만을 먹이도록 권장하고 있다. 편리성은 물론 영양이 우수하며, 면역력과 뇌 발달에도 큰 영향을 미친다. 그러나 아기에게 최적화된 모유를 먹이기 위해서는 몇 가지 문제에 부딪히고, 그에 맞는 해결 방법을 찾아야 한다.

1. 젖가슴 증상별 해결 방법

울혈(젖몸살)은 분만 후 첫 일주 동안 유방에 젖이 차면서 올바른 방법으로 수유가 이루어지지 않을 경우 산후 3~4일 혹은 그 이후에 나타나며, 가장 심한 불편은 산후 4~5일에 나타난다. 젖에 꽉 찬 모유를 제거해 주거나 자주 수유를 하면 해결된다.

울혈 예방은 수유를 자주하고 (1일 8~12회), 1회에 최소 10분 이상 먹인다. 생후 3~4주 동안은 가능하면 모유만 먹이는 게 좋다.

울혈 증상은 젖이 분비되기 시작한 지 24~48시간에 나타나기 시작해 3~4일경 양쪽 유방으로 확대되어 유방 전체가 확대되고 통증과 함께 37~39℃의 열을 동반한다.
이는 젖먹이는 기회를 놓쳤을 때나 아기가 한쪽 젖만 먹었을 경우, 아기에게 젖을 먹인 후 남은 젖을 짜지 않아 유방이 불어있기 때문이다.

울혈 해결 방법은 수유 전 목욕이나 샤워 또는 더운물 찜질을 해주고, 손으로 유즙을 약간 짜내 유륜을 부드럽게 하여 아기가 빨기 쉽게 해서 젖을 충분히 비우게 한다. 남은 젖은 손이나 유축기로 젖을 짜내고, 수유 후에는 냉찜질해서 부기를 가라앉혀 준다.

만약 아기가 먹어야 하는 양보다 너무 많을 경우 울혈을 예방하기 위해 앞에 서술된 내용처럼 잠깐 양배추잎을 사용해 본다.

유선염은 유관이 막힌 경우 유관에 젖이 잘 배출되지 않아 염증이 생긴 것으로 심하면 열이 동반된다. 해결 방법으로 수유의 빈도를 높이고, 수유 자세를 다양하게 하고, 마사지도 한다.

유방염은 열이 38.4℃ 이상, 오한, 붉음, 압통, 부음 등의 증상이 나타나며, 일반적으로 한쪽에서만 나타나고 윗부분에 잘 생긴다. 휴식이 좋은 해결 방법이며, 진통제/해열제 복용24시간 내 열이 내려가지 않은 경우 항생제를 복용한다. 이때 아기가 맛으로 인해 거부하지 않은 한 모유수유를 한다.

모유에 혈액이 섞인 경우는 유방 내 모세혈관 및 유관 내 유두종이 터져서 생긴 것으로 모유수유는 가능하다. 만약 2주 동안 증상 호전이 안 되면 원인 규명을 해야 한다.

유두동통은 수유부의 90% 이상이 부적절한 수유 자세로 인해 유두동통을 경험한다. 수유 자세를 교정하고 심하면 연고(비판텐 연고)를 사용하고, 유두보호기는 사용하지 않는다.

유두동통 증상은 산후 3~4일경에 제일 많다. 수유를 시작하는 며칠 동안은 예민하나 보통 1~2주 이내에 없어진다.

유두동통의 해결로는 수유 시 바른 자세가 계속 유지되어야 한다.(유두통증의 가장 많은 원인) 수유 전 모유의 흐름을 좋게 하기 위해 가볍게 마사지 해주고, 약간의 젖을 짜주어 젖의 흐름을 자극한다.

덜 아픈 쪽부터 먹이고, 통증이 있는 유두의 수유 시간을 제한한다. 다 먹인 다음 젖을 짠 후 짠 젖을 유두에 발라주고, 유방을 공기나 햇볕에 노출한다.

건조하고 갈라진 유두열상에는 라놀린크림을 발라주어 보습상태를 유지하여 건조를 막아준다. 수유하지 않을 때는 유두보호기를 착용하므로 유두가 브래지어에 직접 닿는 것을 방지하고, 공기구멍을 통해 통풍이 잘되도록 하여 치유를 촉진한다.

유두혼동은 모든 아기의 95%가 출생 후 3~4주 안에 인공젖꼭지를 주면 유두혼동을 일으킨다.

2. 유두혼동의 단계별 양상

1단계 : 출생 초기 (1주일 이내의 아기가 혼동)

- 엄마젖 빠는 힘이 약함
- 유두를 밀어냄. (끝만 빨려고 함)
- 조금 빨고 짜증을 내는 상태
- 수면으로 상황을 회피함(자는척함)

2단계 : 더 진행된 상황

(1주 이후의 아기에게 흔히 관찰됨)

- 잇몸으로 유두를 깨문다.
- 입술이 안쪽으로 깊게 말린다.
- 혀의 움직임이 약하다.
- 유두 끝만 문다.
- 뒤로 버둥거리고 보채면서 운다.

3단계 : 가장 심한 경우

- 모유수유와 관련된 물건만 보아도 흥분하면서 운다.
- 아기의 턱, 입술이 심하게 떨린다.
- 엄마를 밀쳐낸다.

유두혼동은 엄마가 포기하지 않는 경우 전문가의 도움을 받으면 4~6 **주 이내** 90%대의 교정 효과를 볼 수 있다.

3. 유두 약점 극복하기

어떤 가슴도 아기에게 젖을 먹일 수 있다. **함몰유두나 편평유두**인 경우 젖이 불어 유방이 단단해진 상태에서는 아기의 입이 미끄러져 수유하기 힘듦으로 유방을 부드럽게 만든 후 수유해야 한다.

함몰유두는 함몰 유두교정기를 사용하거나 유두 당기기, 굴려주기 등을 10분 정도 하여 유두 모양을 교정해 준다. 교정기를 사용하는 경우 출산 직후 필요한 경우에만 사용하는 것이 좋다.

편평유두는 젖이 불으면 유두가 더욱 납작해지기 때문에 젖 물리기 직전에 차가운 물수건으로 자극을 주어 유두를 돌출시킨다. 단, 찬 물수건은 너무 오래대고 있을 경우 젖이 잘 분비되지 않으므로 1분 이내로 해야 한다.

함몰유두나 편평유두는 젖을 먹이기 직전에 유축기나 다른 흡입 기구를 5분 정도 사용해서 유두가 나오도록 하는 것이 좋은 방법이다.
시중에 판매되는 본인 유두사이즈 보다 조금 큰 **흡입주사기**(피스톤)를 사서 앞쪽을 잘라낸 후 거꾸로 피스톤을 끼워서 유두에 대고 천천히 흡입하면 된다.

분만 후 아기에게 가급적 젖을 자주 물려 젖 빠는 연습을 충분히 시키면 유두 모양도 교정이 되고 아기도 엄마 젖에 쉽게 익숙해진다. 또 젖을 물릴 때 유방을 약간 뒤로 잡아당기면 유두가 튀어나와 아기가 물기 더 편해진다.

모유와 분유 수유 시 차이점

	모 유	분 유
1	아기에게 완전식품이며 맞춤식품이다.	엄마젖에 가깝게 하려 노력하고 있으나 도저히 같을 수 없다.
2	모유는 아기욕구에 항상 변화하고 살아있는 영양소다.	변화 없는 일정한 음식이다.
3	인지발달이 촉진되어 지능지수증가, 독해력증가, 학습력증가, 수학능력증가 등이 젖을 오래 먹인 아이에게 나타남.	모유수유 어린이에 비해 비교적 IQ가 낮음
4	면역력이 있어 감염으로부터 보호되고 질병발생률도 낮으며 혹 질병에 걸려도 정도가 심하지 않음	보호되는 것이 없음
5	젖을 빨고 넘기는 운동으로 아래턱을 많이 움직여 턱 발육촉진	우유병은 자연스럽게 흘러 입 주변만 움직임
6	특히 미숙아 일수록 모유가 더 적합하고 합병증의 위험을 적게 할 수 있음	체중증가를 기대하여 선호하는 경우가 있으나 면역력이 떨어져 모유와 비교가 안 됨
7	우유병은 자연스럽게 흘러 입 주변만 움직임	우유병은 자연스럽게 흘러 입 주변만 움직임
8	아기에게 애정을 싹트게 하여주는 동시에 안정감, 만족감, 성취감 등 애착관계 증진	모자 상호작용이 부족할 수 있음
9	스킨십을 통해 감각발달, 인지발달, 성격형성에 영향을 줌	안정 도모와 정서적 만족에 결여될 수 있음
10	산후 산모의 신체적, 정신적 회복에 도움을 주고 산후우울증이 적음	아기의 보살핌에 불안해하며 적응이 늦어짐
11	아기가 엄마젖을 통해 다양한 냄새와 맛을 경험해 새로운 음식에 쉽게 적응함	분유 맛은 항상 일정해 냄새나 맛에 잘 적응이 안 되어 편식 우려
12	6개월 완모를 하면 생리를 안 해서 배란이 안 되어 96~98% 피임 됨	전혀 피임이 안 됨
13	수유시 분비되는 호르몬은 산모의 회복을 촉진시키며 정신적으로 편안하게 해줌	호르몬 분비가 아주 적음
14	턱의 발육으로 치열이 고르고 악관절염이나 아래턱 골절예방	아래턱 움직임 거의 없어 치열이 나빠 어린나이에 치아교정 많음

"아기는 엄마에게서 가장 진실하고 순수한 사랑을 받으며,
엄마는 아기에게서 가장 큰 자부심을 느낀다."

자녀를 영재로 키운

전직 산후관리사가 전하는

육아 실전수업 및 꿀팁

육아도 아는 만큼 쉬워진다.

'엄마는 육아에 우연성과 융통성이 필요하다.'

Chapter 6

분유 먹이기와 대처법

- 분유 타는 법과 수유 자세
- 분유 수유 시간과 횟수/수유량
- 유축모유와 분유수유 간격/수유 텀 계산법
- 분유 야간수유와 젖병 세척/소독법
- 분유 갈아타기와 조제분유의 보관법
- 분유 게워 내는 역류 완화 방법

분유 타는 법과 수유 자세

분유를 타기 전 최우선으로 할 일은 분유통에 적혀있는 설명서를 읽어야 한다.
각 분유 제품마다 영양 손실을 막기 위해 또는 균을 멸하기 위해 적절한 온도로 타야 한다고 자세히 적혀있는데도 내가 만나본 대부분(거의 모든)의 산모들은 아기 분유를 타 먹이면서 분유통에 쓰여 있는 설명서를 읽지 않는다.

그저 조리원에서 타 주던 대로 타서 먹이면 된다고 생각해 버린다.
조리원에서 먹이던 동일한 분유를 집에 와서도 먹이는 것이라면 괜찮겠지만, 다른 분유를 바꿔 먹이면서도 설명서를 보지 않고 하던 대로 타 먹이면 안 된다.

1. 분유 타는 방법과 순서

1) 분유 타기 전 분유통에 있는 **'사용설명서'**를 **꼭 읽고 숙지**한다.
2) 손을 깨끗하게 씻고, 살균된 젖병과 젖꼭지를 준비한다.
3) 100℃ 끓여 식혀둔 물 타는 온도(40℃,70℃)에 맞게 준비한다.
   (70℃로 탈 땐 끓여서 식혀둔 물도 준비한다)
4) 분유통에 있는 전용 스푼을 사용, 분말을 가득 담고 깎아낸다.
5) 스푼의 분유를 젖병에 넣고 물을 먹는 양의 1/2만 붓는다.
6) 젖병 뚜껑을 닫고 좌우로 천천히 돌리며 분유를 희석한다.
7) 희석되면 평편한 곳에 젖병을 놓고 먹는 양만큼 나머지 물을 정확하게 맞춘다.
8) 물 온도를 맞출 때 분유 포트를 사용하면 편리하다.
9) 분유를 손목 안쪽에 떨어뜨려 적당한 온도인지를 확인한다.

분유 타는 물은 중금속이나 세균에 오염되지 않은 **순수한 물**이어야 한다. 정수기 물보다 시판되는 식수나 정수된 수돗물 정도면 좋다. 사용 전에 반드시 100℃로 끓여 식혀서 사용해야 한다.

오염정도가 확인 안 된 지하수, 약수는 사용하지 않는 게 좋다. 보리차는 보리 볶으면서 탄 성분(카본)이 아기 인체에 안 좋다. 녹차를 우린 물은 카페인이 많아 아기 수면에 방해가 되므로 피하는 게 좋다.

어떤 산모는 독일제품 **분유 스푼이** 언뜻 보기에 우리나라 것과 같아 보였다며 나를 만나기 전까지 30ml 스푼을 40ml 스푼으로 착각하고 분유를 잘못 타 먹이고 있었다.
설명서를 읽지 않고 조리원에서 먹이던 습관대로 행동했기 때문이다.
그걸 자꾸 생각할수록 아기에게 미안하다며 후회했다.

분유스푼 용량은 제품에 따라 조금씩 다르다. 대체로 국내제품은 20ml, 40ml, 외국제품은 30ml, 50ml가 대부분이다. 설명서를 읽고 분유를 타야 하는 이유다.

양마마의 꿀팁 !

♠분유를 타실 때 꼭 계량스푼을 사용하고, 설명서대로 깎아서 계량하셔야 합니다. 분유의 농도가 묽으면 잘 먹지 않고, 영양섭취에 불균형이 올 수도 있고, 진하면 장에 무리가 될 수 있으므로 물의 양과 분유의 양을 정확히 맞추세요.

분유 먹기 좋은 적정 온도(38~40도)도 분유마다 약간씩 다르다. 신생아는 면역력이 약해 더 주의를 기울여야 한다. 신생아(생후 28일까지)의 분유를 타기 위해서는 우선 물을 100도에서 끓인 후 알맞게 식혀서 사용해야 한다.

1) 70도 이상의 물에 타는 경우

분유를 70도 이상의 물에 타는 것은 조제분유를 통해 전염되는 장내 세균의 종류 중 하나인 **사카자키균** 등을 박멸하기 위해서다. 이 균은 발생빈도는 낮지만, 면역력이 약한 신생아 및 저체중아에 감염될 위험이 있다.

영유아에서 뇌막염이나 장염을 일으키는 것으로, 특히 미숙아나 신생아에게 가장 위험하다. 사카자키균 등은 70도 이상의 물로 분유를 타 먹이면 걱정하지 않아도 된다.

우유병에 70도의 물을 1/3가량 넣고, 계량한 분유를 넣은 후 15초 동안 흔들어 준 다음, 끓였다 식혀둔 물을 넣어 용량을 맞춘 후 온도가 맞는지 확인한 다음 먹인다. (분유에는 엔테로박터, 사카자키균, 살모넬라균 등이 있음)

양마마의 꿀팁 !

♠ 분유를 먹이기 전 반드시 온도를 확인하셔야 합니다.
너무 뜨거운 분유를 먹이면 입 안에 화상을 입힐 수 있고,
너무 차게 먹이면 아기의 체온이 갑자기 떨어져 감기에 걸릴 수도 있어요. 분유 수유 온도는 항상 따뜻하게 먹이는 것이 바람직합니다. 아기 위해 이래저래 체크하고 살필 일이 참 많지요.

2) 40도의 물에 타는 경우는 아주 간단하다. 100도로 끓여 식혀둔 물을 온도(37~40도)에 맞게 타 먹이면 된다.
요즘 엄마들은 온도를 일정하게 유지해 주는 '분유포트'가 나와 있어 편리하게 사용한다.

2. 분유 수유 자세

분유를 먹이는 마음과 자세는 모유수유와 별반 다르지 않다.
아기에게 눈을 맞추고, 사랑의 말을 건네고, 쑥쑥 잘 자라주기를 바란다.
"배고프지? 맘마 먹자." 등 말을 하고, 반드시 아기를 안고 수유해야 한다.

분유를 먹이더라도 모유를 먹이는 것과 같이 편안하고 안정된 자세를 취한다.
먼저 젖꼭지로 윗입술에 노크하여 아기가 입을 벌리기를 기다린다. 입을 벌릴 때 젖꼭지를 재빠르고 조심스럽게 입 안에 충분히 넣어준다.

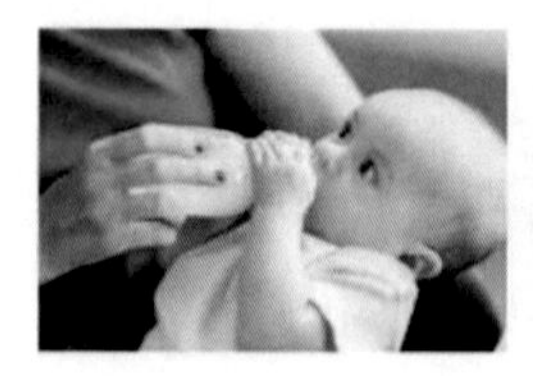

꼭지 부분에 분유가 채워지도록 잘 잡아줘서 공기를 마시지 않도록 주의한다. 수유하며 TV나 핸드폰 등을 보지 말고 아기와 눈을 맞추며

계속 이야기를 나눈다.
(ex. 00이 맘마 먹고 있네. 꿀떡꿀떡 잘도 먹는구나! 맛있지. 맘마 먹고 쑥쑥 크자. 등)

양마마의 꿀팁 !

♠ 아기가 먹다 남은 분유는 1시간 이상 지나면 침에 의해 세균이 번식하므로 아까워도 과감히 버리십시오. 높은 온도나 여름에는 더 빨리 상합니다. 이로인해 아기가 장염이라도 걸리면 엄마와 아기 고생은 물론 병원비까지 들어갑니다.

혼합 수유 시 유축해 놓은 엄마 젖을 먼저 먹이고 분유를 보충해 주세요. 애써 짜 놓았고, 면역성분이 더 좋은 유축모유부터 먹이는 게 당연하다 여깁니다.

3. 분유 먹은 아기 트림시키기

아기가 모유 먹을 때는 엄마 젖가슴이 아기의 입 모양대로 변해줘서 공기를 덜 마시게 되지만, 분유를 먹을 때는 젖꼭지가 형태를 그대로 유지하고 있기 때문에 공기와 함께 삼키게 된다.
수유 중간이나 수유가 끝난 후 노력해서 먹은 모유나 분유를 게워내지 않게 아래 그림1과 같이 비스듬히 잠시 안고 있다가 그림2와 같이 엄마 무릎에 앉힌 채 잠시 등을 쓸어주거나 토닥여 준다. 이는 수유 후 바로 그림3과 같이 어깨에 올리면 위 괄약근이 미숙한 신생아는 배도 눌러져 먹은 분유를 쏟아낼 수 있기 때문이다. 그림2와 같이 안을 때 주의할 점은 고개와 허리를 잘 받쳐줘야 한다.

그림 1

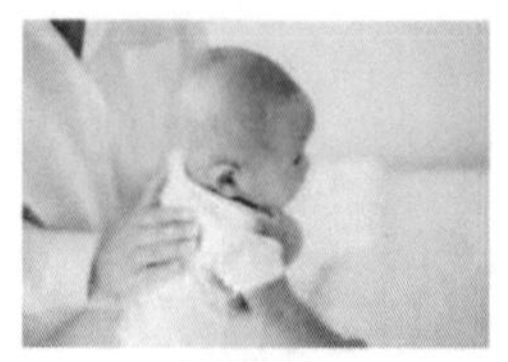
그림 2

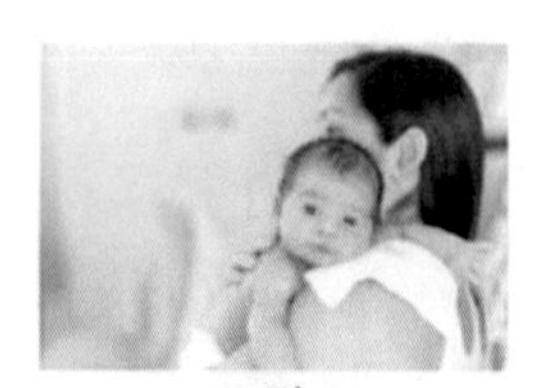
그림 3

아기를 **트림시키는** 일반적인 **방법**으로 아기를 곧게 안아 턱이 엄마 어깨에 오게 한 후 등을 쓸어주거나 가볍게 두드려 준다. 트림(10~20분)을 시켜주지 않으면 아기가 몹시 불편을 느끼고, 때로는 먹은 것이 역류하는 구토 현상이 일어날 수 있다.

트림하지 않은 아기를 혼자 둘 경우 수유한 지 오래되었더라도 계속 지켜봐야 하고, 아기를 오른쪽으로 눕히고 **상체를 15각도** 정도로 높여서 눕혀 놓는다. 이때 쓰러지지 않게 베개나 돌돌 만 수건으로 앞(배) 뒤(등)를 잘 받쳐주어야 한다.

양마마의 꿀팁 !

♠트림을 시킬 때 똑같은 자세로만 하시나요?
신생아의 트림은 매우 중요합니다. 엄마 어깨에 아기 얼굴을 대고 토닥토닥 해주다가 이번엔 무릎에 앉히고 아기의 등을 꼿꼿이 받친 채 토닥토닥 해주세요. 이렇게 반복적으로 이동하며 자세를 자주 바꿔주셔야 트림을 잘합니다. 수유 중에 마셨던 뱃속 공기가 움직이면서 올라오기 때문입니다.

분유 수유 시간과 횟수/수유량

육아는 언제나 융통성이 필요하다. 자료는 참고 사항임을 인지하고, 아기의 상황에 따라 적절하게 활용하는 현명함을 장착해야 한다. 아예 모르면 기준치가 없어 어찌할 바를 모르겠지만 자료를 보면서 융통성을 갖는다면 육아는 훨씬 가볍게 다가올 것이다.

1. 분유 수유 시간

분유수유 시간은 아기의 연령이나 먹는 습관에 따라서 약 5~20분 정도의 큰 차이를 보인다. 한번 수유하는 데 걸리는 시간은 아기가 먹다 쉬는 휴식과 위의 수용능력을 고려하여 **약10~20분** 정도가 바람직하다.

수유를 빨리하면 갑작스러운 위 팽창으로 먹은 분유가 올라올 수 있고, 너무 오래 걸리면 공기를 함께 삼키게 되면서 올릴 수도 있다. 수유 시간이 너무 길면 꼭지구멍이 작거나 막혔는지 확인하고, 작다면 한 단계 더 큰 사이즈로 교체해 준다.

◆ 분유 수유량에 따른 꼭지 크기

우유병꼭지 크기	수유량에 따른 시간
SS	50cc를 10~15분에 수유
S	100cc를 10~15분에 수유
M	150cc를 10~15분에 수유
L	200cc를 10~15분에 수유

양마마의 꿀팁 !

♠젖병 꽂지 교체시기

아기가 커가면서 먹어야하는 양은 많아지고 젖병 꽂지의 크기가 작으면 수유시간이 길어져 아기가 잠들어 버리거나 지쳐서 그만 먹게 됩니다. 이럴때 배부른 수유는 할 수 없고, 자주 먹게 되어 깊은 잠도 자지못합니다. 분유수유 시간이 약15분 이상 넘어가면 한치수 큰 사이즈로 교체해주세요.

2. 분유 수유량의 변화

수유량은 아기 건강 상태, 월령, 수유 간격에 따라 달라질 수 있음을 명심한다. 아기가 성장함에 따라 배꼴도 커지므로 일주일이 지나면 **1회 수유량을 2~3일 간격으로 5~10cc씩 늘려준다.** 3~4주부터는 **일주일에 약 20cc씩** 늘려준다.

1회 먹는 양이 늘어나면 수유 횟수는 그만큼 줄어든다.

◆ 신생아의 출생일에 따른 1회 수유량과 1일 수유량

구 분	위 용적	1회 수유량	1일 수유량
출생 첫 날	10~12ml	20ml	10~100ml
생후 2일	아기의 체중이증가 하면서 위 용적도 늘어난다. 1개월-90ml 6월-160ml 12개월-300ml	30ml	10~120ml
3일		40ml	200ml
4일		50ml	400ml
5일		60ml	600ml
6일		70ml	700~800ml
7일		80ml	700~800ml
1주~1개월		120~140ml	700~900ml
1~3개월		140~180ml	800~900ml
4~5개월		180~210ml	800~900ml
6개월		210~240ml	800~900ml

(출처: 산후관리사 교육)

양마마의 꿀팁 !

1) 신생아 평균 체중 증가

- 1일 700~900cc를 먹으면, 하루 30~50g씩 증가한다.
- 1주일에 200~300g씩 증가하면 정상적으로 잘 크고 있다.
- 100g 이하나 400g 이상 되면 수유량 체크하고, 진료 받아본다.
- 생후 1달이 되면 출생 시 체중보다 1~1.2kg 증가한다.

2) 신생아 평균 수유량 증가

- 생후 1주일 후부터 1주~10일 사이에 대략 20ml씩 더 먹는다.
- 아이마다 다 다르다는 것을 인지해야 한다.
- 다 먹었는데도 계속 빨려고 하면 남기더라도 분유를 더 탄다.

3) 신생아의 위 크기 - 아기몸무게 만큼 위도 늘어난다.

- 탄생 직후 : 손톱만큼 하던 것이
- 10일 후 : 탁구공만큼 커진다. 참고하세요~

유축모유와 분유 수유 간격(텀) 계산법

유축모유와 분유의 수유 간격을 계산하는 것은 아기의 영양 공급과 성장을 지원하기 위해 중요하다. 수유 간격은 아기의 요구와 성장 단계에 따라 다를 수 있으며, 아기가 배고픈 신호를 보이는 시기에 맞추어 조절해 줘야 한다.

수유 간격은 아기가 먹은 양과 체중, 성장속도, 배변상황 등을 참고하여 결정할 수 있다. 조금씩 자주 먹는 것을 선호하는 아기도 있고, 한꺼번에 많이 먹고 푹 자는 아기도 있다. 아기마다 다르므로 정확한 계산법보다 상황을 살펴 융통성 있게 수유하는 것이 바람직하다 하겠다.

1. 유축모유와 분유수유 간격(소화 시간)

분유는 소화 흡수가 모유보다 덜하기 때문에 정확한 양과 시간을 지켜주는 것이 좋다. 또 모유는 수유량 측정이 어렵지만 분유는 먹은 양을 정확하게 알 수 있어 수유 간격을 가름할 수 있다. 수유 간격의 기본원칙은 아기가 원할 때마다 수유하는 것이며, 상황에 따라 유연하게 수유해야 한다.

100cc를 먹였을 때 유축모유는 소화흡수력이 좋아 2시간 간격으로 수유해야 하고, 분유는 같은 양을 먹였을 때 3시간 간격으로 수유해야 한다. (모유를 직수하는 경우 아기가 달라고 할 때 수시로 먹인다)

신생아의 상태(대소변 여부, 수면, 활동 시간, 게워 냄 등)에 따라 수유 간격은 얼마든지 달라질 수 있음을 인식해야 한다. 소화 흡수력이 좋은 모유는 달라는 대로 먹여도 무방하지만, 분유는 달라는 대로 줄 경우 배가 더부룩해지고, 그로 인해 자주 변을 보게 돼 기저귀 발진이 발생할 수 있으며, 영아산통을 일으키는 원인이 되기도 한다.

대부분의 아기가 수유해야 할 1시간~30분 전부터 보채기 시작하므로 혼돈하지 말고 안아 달래주거나 **공갈젖꼭지를 활용**하여 수유 간격을 잡아줘야 한다.

수유 간격을 잡아주는 것은 자주 먹이는 수고를 덜고, 많고 적게 먹는 것을 걱정할 필요가 없으며, 배부른 수유를 하게 되고, 배꼴(위 용적)을 늘리는 좋은 방법이 되기도 한다. 아래 표를 참작하여 수유 간격을 잡아주면 밤중 수유가 줄고, 깊은 통잠을 재울 수 있다.

◆ 신생아 수유량에 따른 수유 시간 간격

수유량	유축모유 수유간격	분유 수유간격
50ml	1시간	1시간 30분
80ml	1시간 36분	2시간 24분
100ml	2시간	3시간
110ml	2시간 12분	3시간 18분
120ml	2시간 24분	3시간 36분
130ml	2시간 36분	3시간 54분
140ml	2시간 48분	4시간 12분
150ml	3시간	4시간 30분
160ml	3시간 12분	4시간 48분
180ml	3시간 36분	5시간 24분
200ml	4시간	6시간

10ml 단위로 계산이 가능하며, 아기 수유텀 잡아주기에 활용하기 바란다.

양마마의 꿀팁 !

♠ 모유/분유 소화시간 계산법

• 유축모유 : 100ml = 2시간(120분)만에 소화
10ml = 12분 (수유량 X 1.2 = 소화시간)

• 조제분유 : 100ml = 3시간(180분)만에 소화
10ml = 18분 (수유량 X 1.8 = 소화시간)

위와같이 계산해서 수유하면 아기들은 잘 자랐습니다.

2. 신생아 하루 분유수유 적정 섭취량

초보 엄마·아빠는 신생아에게 얼마를 먹여야 할지 궁금해 한다. 하루 적정섭취량은 아기몸무게 **1kg당 180ml 정도** 생각하면 된다.

ex) 3kg = 540ml, 4kg = 720ml, 5kg = 900ml 하루 총 수유량은 700~900ml가 적당하다. 100ml × 8회 = 800ml 200ml × 4회 = 800ml

위와 같이 1회 **수유량이 늘면 수유 횟수는 줄어든다**. 하루 섭취량 계산은 2~3일분 합산하여 평균치를 내어 확인한다.

위는 신생아 기준이다. 500ml 이하를 먹는다거나 1,000ml 이상을 먹는다면 의사와 상담하는 게 아기의 저체중이나 비만을 막는다.

다시 말하지만 아기마다 상황마다 다르다는 점을 강조하며, 꼭 이대로 지켜야 한다가 아니라 참작하라는 것이다. **육아에는 언제나 융통성이 필요하다.**

분유 야간수유와 젖병 세척/소독법

신생아기의 야간 수유는 필수다. 이는 태어난 아기의 **위용적률**이 작아 조금씩 자주 먹을 수밖에 없고, 이로 인해 소화되는 시간도 짧기 때문이다.

1. 분유 야간수유

수유를 자주 하게 되는 4~5개월까지는 야간수유가 필요하다. 이후부터는 서서히 중단하는 것이 바람직하다. 분유를 낮보다 밤에 적게 먹을 때는 걱정하지 않아도 된다.

1개월 - 4시간 이상 수면, 3개월 - 6시간 이상 수면,
2개월 - 5시간 이상 수면, 4개월 - 7시간 이상 수면.
신생아는 야간에 위 이상 자면 깨워서 수유해 주길 권장한다.

양마마의 꿀팁 !

♠ 야간수유를 반드시 중단해야 하는 이유

첫째, 깊은 잠에 빠지기 전 얕은 잠이 들 때 자율신경의 균형이 깨져 식도 운동과 장운동이 원활하지 않게 되어 내용물이 역류하기 쉽고, 만성기침의 원인이 되기도 한다.

둘째, 생후5~6개월 이후에는 유치가 나오기 시작하는데 야간수유를 하면 분유 중의 당분이 입 안에 남아 충치의 원인이 될 수 있다.

셋째, 성장기의 아기들은 체내에서 분비되는 성장호르몬 중 절반 이상이 야간에 분비되고, 이것이 간을 자극해 또 다른 호르몬을 만들어 내면서 연골을 성장시키게 된다.

넷째, 야간수유를 하느라 아기가 자주 깨게 되면 충분히 잠을 자지 못하여 성장에 좋지 않은 영향을 미치게 된다.

2. 젖병 세척 방법

젖병 사용 후 그대로 두면 부패하기 쉬워 위생상 좋지 않기 때문에 곧바로 헹구어 놓는다. 젖병은 본체, 뚜껑, 젖꼭지 등 부속품을 분리한 후 물로 1차 헹궈준다. 이때 뜨거운 물로 헹구면 남아있는 분유(단백질 성분)가 응고될 수 있어 찬물로 씻는다.

젖병 내부에 상처가 생기지 않게 젖병 세정 솔과 전용세제로 꼼꼼히 닦는다. 젖꼭지는 겉을 닦은 후 뒤집어 안쪽까지 깨끗이 씻는다. 분유 찌꺼기나 세제가 완전히 제거되도록 여러 번 헹구어 준다.

젖병 안쪽이 긁혀 있거나 손상된 부분이 있다면 즉시 새것으로 교체한다. 손상된 플라스틱 젖병에서 나오는 유해물질이 누수현상이 생겨 분유에 흡수될 수도 있기 때문이다.

3. 젖병 소독 방법

젖병 제품마다 소독 방법이 약간씩 다르므로 구입한 젖병 설명서 읽고 소독해야 한다.

열탕소독 하는 방법은 먼저 젖병과 젖꼭지를 찬물로 깨끗하게 세척한다. 100℃ 이상의 물에서 **1분간**(고무꼭지는 30초만) 끓인다. 끓는 물에 고무꼭지나 젖병을 넣고 마음속으로 숫자를 세면 시간을 별도로 맞추지 않아도 된다.

소독할 때 물에 뜨지 않게 눌러주고 완전히 소독되도록 계속 돌려준다. 소독된 젖병은 엎어서 건조한다.

증기소독 방법은 깨끗이 씻은 병의 입구가 밑으로 가도록 소독기에 끼워 넣는다. 물은 우유병 고정대 높이의 1/3 정도만 붓는다. 소독기의 뚜껑을 닫고 물이 끓기 시작해 5~7분지나 불을 끈다.

그 외 **전자레인지 소독은** 젖병에 물을 1/4가량 넣고 세워 소독한다. **UV/LED 소독 또한** 사용설명서를 필히 숙지 후 매뉴얼에 따라 소독한다. UV/LED의 중고제품은 자외선램프 평균수명(6개월~1년:6.000시간)과 적외선전구 평균수명(1년)에 맞게 교체해서 사용한다.

분유 갈아타기와 조제분유의 보관법

만난 아기 중 5% 정도는 다른 나라 제품의 분유를 먹이고 있었고 나머지는 모두 국산 제품을 먹였다. 병원이나 산후조리원에서 먹이던 그대로의 회사 제품을 먹이는 것이 일반적이었고, 임신 중에 '꼭 이 제품을 먹이자.'라며 남편과 상의 했던 분유를 갈아타는 경우도 있었다. 또 먹다가 소화가 안 돼 변을 좋게 보지 않거나 설사를 너무 자주 하거나 특수 상황이 발생했을 때 분유를 바꿨다.

남양

매일

파스퇴르

일동후디스

1. 분유 갈아타기

먹이던 분유를 다른 분유로 바꿀 때 주시해야 할 사항이 있다. 아기의 **배변 패턴과 변화, 체중 변화 및 성장 추세, 피부 반응 및 알레르기 반응** 등이다.

분유가 아기에게 맞지 않거나 다른 분유를 먹이고 싶을 때 바꾸는 방법은 아래표와 같이 하면 된다. **분유 바꾸기**는 **3일정도 소요**되나, 아이가 예민하게 받아들인다면 하루씩 더 여유를 준다. 아기들은 분유 바꾸는 것을 잘 받아들이고 잘 먹었고, 잘 소화했다.

◆ **날짜별 분유 교체 비율**

구 분	전 분유 : 후 분유 (비율)	먹이는 날 수
전 분유	100% : 0%	
1일차	70~80% : 20~30%	1~2일 먹인다.
2일차	50% : 50%	1~2일 먹인다.
3일차	20~30% : 70~80%	1~2일 먹인다.
후 분유	0% : 100%	

2. 조제분유의 보관

분유의 유효기간을 반드시 확인해야 하며, **개봉 후 3주 이내** 보관이 원칙이다. 개봉하면 분유통 뚜껑에 사용기한(개봉 월 일~기한 월 일)을 잘 보이도록 수성펜으로 적어두면 편리하다.

개봉 전에는 질소 충전이 되어있어 변질 우려가 없지만, 개봉하고 나면 산소와 접촉하면서 시간이 지날수록 변질될 가능성이 높고 세균과 곰팡이 등에 오염될 수 있다. 그러므로 3개월이 지난 분유는 아깝더라도 아기에게 먹이지 않는 것이 안전하다.

개봉한 분유는 빨리 사용하고 건조하고 통풍이 잘되는 장소에 보관한다. 여름철에는 더욱 위험하므로 주의해야 한다. 외출과 여행 시 미리 타서 보관하지 말고 여러 개의 젖병에 한 번 먹일 분량의 분유만 넣어 놓고, 보온병에 물을 따로 준비한다.

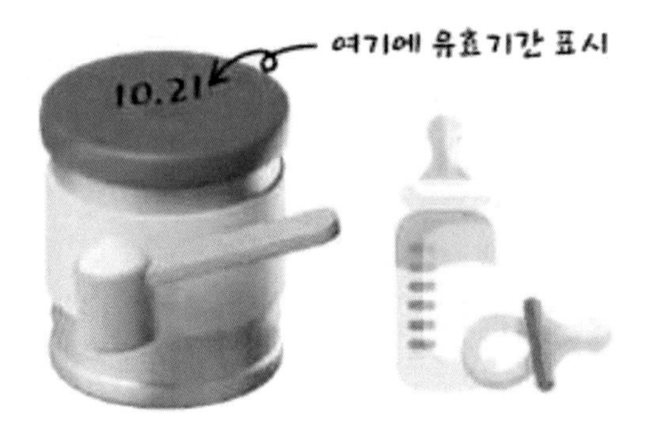

분유 게워내는 역류 완화 방법

아기에게 분유를 먹이고 트림시켜 눕혀뒀는데도 잘 놀거나 잘 자다가 갑자기 끙끙거리며 불편해할 때가 있다. 이럴 때 일으켜 세워서 안아주면 왈칵 게워 낸다. 이런 현상을 **신생아 역류**라고 한다. 식도를 통과한 뒤 위까지 도달한 분유가 다시 식도로 올라와 입으로 나오는 현상이다.

1. 분유 게워내는 원인과 증상

1) <u>**원인**</u> : 식도와 위 사이에 음식물이 들어오면 넘어오지 않게 막아주는 항문의 괄약근 같은 근육 고리가 있는데 신생아는 그걸 조여주는 근육이 아직 미숙해서 모유나 분유가 위에 도달했는데도 다시 거꾸로 역류할 수 있다.

이런 현상은 신생아에게서 흔히 볼 수 있다. 생후 한 달 무렵에 가장 심해지고 돌까지 지속되는 아기도 있다. 미숙하던 근육이 성장하면서 차츰 완화된다.

자료에 의하면 생후 1주 미만의 아기 중 85%가 하루 한 번 이상 토하며, 성장에 문제가 없는 경우 생후 6주 미만의 아기 중 종종 게워 내는 아기도 10% 이상이라고 한다.

2) 증상 : 역류가 심하면 그로 인해 성장 발달에 지장을 주기도 하며, 자주 반복적일 경우 기침, 쾍쾍거림, 후두염, 폐렴의 원인이 되기도 한다.

또 입 밖으로 게워 내지는 않지만 역류현상 때문에 자주 보채고 울며, 몸을 활처럼 뒤로 휘며 괴로워하는 아기도 있다.

양마마의 꿀팁 !

♠ 먹고 게워내는 아기를 보면 엄마의 마음은 걱정이 되지요. 이럴 때 엄마는 좀 더 느긋한 마음으로 아기를 돌봐야 합니다. 식도와 위 괄약근이 성숙해지고 이유식을 먹일 때쯤 되면 역류는 점차 사라질 거예요. 게워 내는지 잘 살펴봐 주세요.

2. 역류 증상 완화 방법

역류를 자주하는 아기에게는 분유를 소량으로 자주 수유한다. 아기가 커가는 만큼 배꼴을 늘려 수유 간격을 넓혀줘야 통잠을 재우는 수면교육을 할 수 있지만, 이를 잠시 미루고 역류현상을 자주 보이는 아기는 증상완화를 위해 조금씩 자주 수유한다.

역류완화를 위해 **트림을 확실히 시켜준다.** 트림시키기 위해 안고 있을 때 흔들거나 등을 세게 두드리지 말아야 한다. 평소보다 더 긴 시간(10~20분)을 안아준 후 눕힌다.

역류방지쿠션을 이용한다. 역류는 누워있으면 더 심해지므로 상체를 약간 높여 안아주어야 한다. 그렇다고 계속 안겨 잠이 들면 습관이 될 수 있으므로 이를 방지하기 위해 잠시 역류쿠션을 이용한다.

이미 소화가 다 됐을 시간인데도 게워내는 아기가 있다. 이 경우에도 하루 종일 안고만 있을 수 없으므로 역류방지쿠션을 이용하여 **영아돌연사** 등을 방지하는 데 큰 도움을 받는다.

양마마의 꿀팁 !

♠ '육아는 장비발'이라고 하나요. ㅎㅎ

육아에 도움 되는 좋은 아이템들이 시중에 많이 나와 있습니다.
많이 게워 낼 때 이용하는 역류방지 쿠션 이외에 조금씩 자주 게워 내거나 트림 잘 하지 않은 아기는 오른쪽 옆으로 눕히고 모로반사 방지용 이불을 이용하여 양쪽을 받쳐주면 아기가 움직이다가 똑바로 눕는 것을 막을 수 있어 역류하여 기도가 막히는 걱정을 덜 수 있습니다.

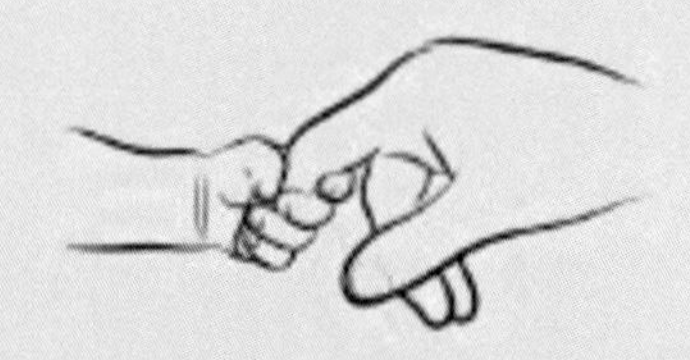

- 실전편 Ⅱ -

♠ 아기를 위한 꿀팁

아기를 만났을 때

내 가슴은 설렘에 떨렸어요.
그 작은 손길과 따스한 숨결이 나에게로 흘러들어와
내 안에 새로운 사랑의 꽃이 피었어요.

그 작은 미소와 반짝이는 두 눈,
세상에서 가장 순수하고 아름다운 것 같았어요.

내가 그렇게 오래 기다린 것처럼
우리 첫 만남은 마치 신화처럼 다가왔죠.

엄마가 되었다는 기쁨과 책임감,
그리고 세상에서 가장 소중한 보물을 안고서
나는 이제부터 그 작은 생명과 함께 걷게 되었습니다.

아기야, 네가 온 세상이 달라진 것 같아요.
네 손에 잡힌 나의 소망들이 피어오르며
네 웃음소리가 나의 마음속에 울려 퍼져
우리 함께하는 모든 순간들은 보물 같아요.

네 성장과 발전을 지켜보며 내 마음도 함께 자라나고,
항상 네 곁에서 지지해 주고 싶어요.

아기야, 넌 내 인생에서 가장 큰 축복이야.
설렘이 가득한 우리 첫 만남부터 지금까지,
네가 내게 주는 사랑과 행복으로 인해
나는 어느새 많이 성장하고 변해갔어요.

더 나은 엄마로서 항상 네 곁에서 서성일 거예요.
넌 내 삶에 영원히 반짝이며, 네 옆에서
함께 웃으며 울며 사랑하면서 성장할 거야.

김 수 영

자녀를 영재로 키운
전직 산후관리사가 전하는

육아 실전수업 및 꿀팁

육아도 아는 만큼 쉬워진다.
'육아의 최고봉은 애착의 완성이다..'

Chapter 1

•

애착형성의 시작

✦✦ 우는 아기 달래는 법

✦✦ 철사 인형과 천 인형

✦✦ 사랑의 터치 베이비마사지

우는 아기 달래는 법

아기는 울음으로 탄생의 신호를 알린다. 이 순간 기다리던 사람들에게 기쁨과 환희를 선물한다. 만약 아기가 울지 않는다면 어떨까? 이 상상만으로도 심장이 오그라든다.

애착은 아기의 태어남과 동시에 시작된다. 신생아의 애착 형성은 **출생 직후부터** 주변 환경과 상호작용하며 애착 관계를 형성한다. 이 초기 단계에서는 아기가 안전하고 안정된 환경에서 안락감과 신뢰를 느끼게 하는 것이다. 평생에 영향을 미치는 애착은 출생 후부터 육아 전반에 걸쳐 지속해서 발전하고 성장하는 과정이지만, 특히 처음 몇 개월 동안이 애착형성에 가장 중요한 시기로 여겨진다.

엄마·아빠와 아기 사이의 상호작용과 소통은 애착 형성의 핵심적인 역할을 한다. 예를 들어, 아기가 울음으로 신호를 보낼 때 재빠른 반응으로 수유하거나 기저귀를 갈아주는 등의 적절한 조치, 위로와 이해받는 말소리, 피부 간의 접촉인 스킨십은 강력한 애착 형성의 도구가 된다.

산모의 품에서 포근히 안겨 엄마 심장소리를 듣고, 담요 등으로 감싸주면 아기는 안정감을 가질 수 있다. 여기에 잘 먹고, 잘 자고, 가장 기본적인 욕구가 충족되었을 때 애착 관계 형성은 쑥쑥 자란다.

우는 아기를 달래는 것은 많은 엄마·아빠들이 직면하는 과제다. 아기가 울 때는 배고픔, 피곤함, 불편함 또는 안정이 필요한 신호일 수 있다. 이에 대응하여 적절한 방법으로 아기를 달래는 것이 중요하다.

우는 아기를 달래려면 먼저 아기가 보내는 신호를 이해하고, 그에 따른 요구를 충족해 주고, 아기가 안전하고 안정감을 느낄 수 있도록 도움을 줘야 한다.

기본적 요구인 배고픔을 해결해 준다거나, 기저귀 교체, 불편함 등 상황에 맞게 충족시켜 주고, 편안한 환경 조성을 위해 조용하고, 자극을 최소화하여 안정감을 제공해 주며, 잔잔한 음악이나 따뜻하고 사랑스러운 목소리로 말하는 것도 도움이 된다.

안아주거나 쓰다듬어 주는 피부 간의 접촉이나 감정적 지지, 예측할 수 있는 환경 제공으로 아기에게 심리적인 안정과 안전감을 주는 것도 아기를 달래는 데 큰 역할을 한다.

또는 백색소음과 같은 물소리, 청소기 등의 진동과 리듬 소리에 일부 아기들은 반응하여 진정하기도 하며, 엄마 가슴 위에서 부드럽게 흔들어 주거나 안고 걸으면서 리듬을 타는 것도 도움 된다.

어떻게든 달래려고 갖은 방법을 동원했는데도 여전히 울 때는 소아과 전문가와 상담한다.

아기가 울 때는 특히 신생아를 둔 초보 엄마·아빠들은 어쩔 줄 몰라 한다. 왜 우는지도 알 수 없어 허둥대며 아기와 함께 울 기세다.
우선, 아기의 **울음은 언어**(말)라고 인식해야 한다. 말을 할 수 없는 아기가 울음으로 표현한다는 것을 알면 당황하지 않고, 그 말(울음)을 귀 기울여 듣고, 해석하려 노력하게 될 것이다.

양마마의 꿀팁 !

♠ 아기의 울음은 살기 위해, 이 세상에 적응하기 위한 처절한 몸부림이란 생각이 듭니다. 엄마가 아기를 안아줘야 하는 충분한 이유가 되고도 남지 않나요?
신생아는 빨리 안아줄수록 울음은 짧아지고, 믿음은 쌓여 100일의 기적은 훨씬 더 빨리 찾아오게 될 것입니다.

1. 아기가 울 때 체크해야 할 것

아기가 울 때 엄마·아빠가 꼭 체크해야 할 것들이 있다. 왜냐하면 아기의 울음은 단순한 것이 아니고 말로 표현하지 못하는 감정과 요구를 전달하는 아주 **소중한 신호**이기 때문이다.

아기의 울음은 엄마·아빠에게 어떤 불편함이나 필요성을 알리는 의사소통 수단이므로 아기가 우는 순간, 엄마·아빠는 아기의 신호를 귀 기울여 듣고 이해하려는 마음으로 접근해야 한다.

아기가 보내는 신호에 대응하여 적절한 조치를 취할 수 있도록 체크해야 할 다양한 요소들을 아래에서 확인하는 것이 필요하다.

① 수유해야 할 때인지 체크한다.
② 기저귀가 젖었는지 살핀다.
③ 트림이 덜 돼서 속이 불편한지 살펴본다.
④ 잠이 와서 잠투정을 부리는지 본다.
⑤ 덥거나 춥지 않는지 살핀다.
⑥ 누워있는 자리가 불편한지, 젖어 있는지 살핀다.
⑦ 모유나 분유가 옷에 묻어 냄새가 나는지 맡아본다.
⑧ 몸에 열이 나거나 아프지 않은지 잘 살펴본다.

BABY

2. 우는 아기 달래는 법

신생아는 출생 직후부터 기본적인 감정을 경험하고 인식할 수 있다. 기본 감정에는 만족감, 불안함, 피곤함 등이다. 이런 신생아의 감정도 몸의 성장만큼 지속해서 발전한다.

아기는 시간이 지남에 따라 주변 환경에서 오는 자극과 상호작용하는 방법을 배우고 이해하기 시작한다. 이때 엄마·아빠의 다정한 목소리와 몸짓, 스킨십, 표정 등을 통해 점차 사회적인 상호작용 능력이 발전한다.

아기의 감정 성장 발달에는 엄마와 아빠, 가족 구성원과의 정서적 연결이 중요한 요소이다. 안전하고 안락한 환경에서 받는 사랑과 관심은 아기의 정서적 안전감과 유대감을 형성하는 데 많은 도움이 된다.

생후 6~8주에는 감정표현력이 늘어 더 많이 더 큰 소리로 운다. 이럴 때 초보 엄마·아빠는 당황하기 마련이다. 최우선으로 이것은 '**성장의 증거**'라고 인식해야 한다. 그다음 왜 우는지 하나하나 체크해 보고, 아기가 내는 감정표현에 대해 요구사항을 해결해 준다.

우는 아기 달래는 법

① 아기가 울면 즉각 달려가서 엄마가 왔음을 알린다.

② 아기를 살핀 후 기저귀를 갈아주거나 수유, 트림을 시킨다.

③ ②번이 아닌 경우 아기를 세워 엄마의 가슴에 밀착되게 안아 심장 소리를 듣게 해준다.

④ 잠투정하는 아기에겐 자장가를 불러주며 재운다.

⑤ 엄마 배 속에 있던 것처럼 앞뒤, 상하, 좌우 리듬에 맞춰 요령껏 살살 흔들어 달랜다.

⑥ 수유시간이 아닌데 젖을 찾는 시늉 하며 울 때는 빠는 본능이 있는 시기이므로 노리개젖꼭지를 물려주며 달래본다. 이때 노리개젖꼭지를 처음 물어보는 아기는 당황하고, 당연히 서툴다. 적응할 수 있도록 잘 잡아주어야 한다.

⑦ 울음이 계속 달래지지 않을시 집안에 있는 **백색소음**(싱크대 물소리, 진공청소기, 헤어드라이어 등)을 활용하여 달랜다. 울다가 수돗물 떨어지는 소리에 집중하고 듣는 귀여운 모습을 보게 될 것이다.

⑧ 한 가지 자세로 안고 달래기보다 여러 가지 자세로 바꿔가며 달래야 아기가 좋아하는 자세를 찾을 수 있고 더 잘 달래진다.

⑨ 신생아는 **하루 3시간**은 운다고 한다. 달래도 울음을 그치지 않을 때 잠시 내려놓고 옆에서 지켜보며 세심한 관찰을 해야 한다. 이때 “ㅇㅇ아, 엄마 네 옆에서 기다릴게.” 등의 말로 항상 옆에 있음을 얘기해준다.

⑩ 울음이 잠잠해지면 엄마 젖을 살며시 물려본다.

⑪ 울 때 젖을 주면 중독증(관계중독, 알코올중독)에 걸릴 수 있다고 한다. 우선 급한 울음부터 달래고, 울음이 좀 누그러졌을 때 행동을 취한다.

⑫ "울지 마" 보다 "네가 우니까 엄마 걱정돼"라고 말해준다.

⑬ 의사소통(커뮤니케이션)은 말(7%), 목소리(38%), 몸짓(55%)으로 서로의 생각과 느낌을 전달한다. 엄마·아빠의 상냥한 말과 다정한 목소리와 포근히 안긴 품 안에서 아기는 사랑을 먹고 쑥쑥 자랄 것이다.

양마마의 꿀팁 !

♠ 세상 밖으로 나와 보니 양수 같은 따뜻한 보호막도 없고, 눈도 제대로 보이지 않는데 항상 듣던 엄마 아빠의 심장소리와 말소리도 들리지 않습니다.
젖 달라고 울어야 하고, 기저귀는 축축하지, 잠은 어떻게 드는 건지, 팔다리만 움직여도 깜짝 놀라게 되고,,,
아기는 우는 거 말고는 혼자 할 수 있는 것이 하나도 없습니다.
이 경우라면 어른들도 울 것 같지 않나요?

3. 백색소음 효과

백색소음은 넓은 음의 폭으로 균일하게 발생한다. 이는 모든 주파수 대역에서 동일한 에너지를 가지고 있어 "백색"이라는 이름이 붙여졌다고 한다.

일상생활에 방해가 되는 소음도 있지만, 백색소음은 아기들에게 안정감을 주고 수면과 진정 효과에 도움을 줄 수 있다. 아기가 불안해하거나 울 때도 효과가 있으며, 반복적이고 일관된 소리로 인해 스트레스 감소와 긴장 해소, 잠에도 안락하게 빠져들게 한다.

자연에서 들을 수 있는 소리로, 비가 오는 소리, 파도 소리, 바람 소리 등이 있고, 가정 안에서는 수돗물 소리, 청소기 소리, 헤어드라이어 소리 등이 있다.

아기가 울음을 그치지 않거나 불안함에 깊은 잠을 들지 못할 때 잠시 활용해 보는 것도 하나의 방법이 될 수 있다. 백색소음은 아기마다 각기 다르게 반응하므로 잘 관찰하고 필요에 따라 조절하면서 사용해 보길 권한다.

백색소음 사용 시 주의할 점은 너무 크거나 과도한 볼륨을 사용하지 않도록 하고, 신생아나 영아와 함께 자면서 계속해서 사용하지 않도록 하고, 여기에 의존하거나 오래 사용하는 것은 지양한다.

청소기　　헤어드라이기　　수도꼭지

최근에는 핸드폰 앱을 이용해서 아기들에게 들려주는 산모들이 있는데 효과는 별로였다. 이보다는 수돗물 소리나 청소기 소리에 귀 기울이는 모습을 보이며 더 큰 반응을 보였다. 청소기를 돌리는 도중에 아기는 거의 울지 않는다. 백색소음은 우는 아기가 달래지지 않을 때 잠시 사용해 보는 정도만 활용해야 한다.

양마마의 꿀팁 !

♠ 종종 엄마들은 "관리사님이 볼 때는 안 우는데 왜 저희가 보면 그렇게 울까요?"라고 물어봅니다.
이것은 울음 초기에 적절히 달래주지 못해 아기가 '화가 많이 났다'는 표시로 보입니다.
"울기 시작하면 달래주세요. 아기도 화가 난 겁니다."라고 말해주면 엄마는 피식 웃습니다.
다음날부터 똑같은 일은 발생하지 않더군요.

철사 인형과 천 인형

신생아 애착은 아기와 부모 또는 주요 돌봄자 사이의 강한 정서적 연결을 의미한다. 이 애착은 아기의 안전과 안정감을 제공하며, 신체 및 정서적 발달에 긍정적인 영향을 미친다.

1. 아기원숭이 애착 실험

미국의 저명한 심리학자 해리 할로 교수는 어미와 떼어놓은 아기원숭이로 실험했다. 하나는 철사로 만든 인형에 젖병이 매달려 있는 원숭이 인형 이었고, 다른 하나는 몸통을 천으로 감싼 원숭이인형 이었다. 실험 전의 생각은 당연히 젖을 주는 인형에게 애착을 보일 것이라 생각했지만 결과는 놀랍게도 달랐다.

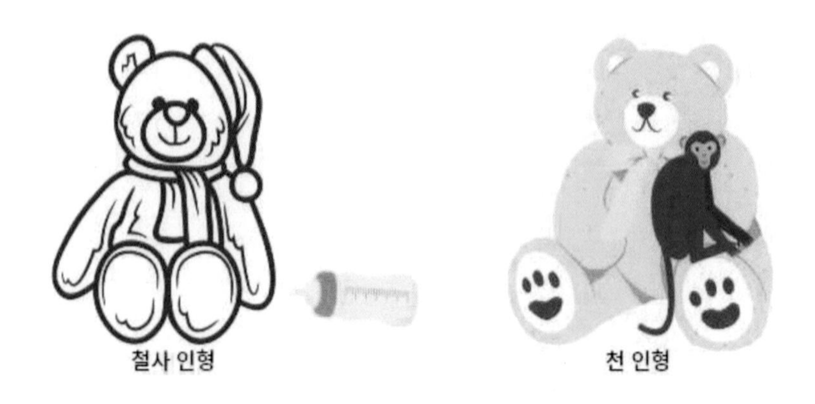

아기원숭이는 처음엔 어미와 떨어져 공포에 울부짖고, 대소변을 뿌리고, 고함을 지르다가 어미에게 돌아갈 수 없다는 것을 알고 젖을 주는 철사 인형 대신 하루 18시간 이상 천 인형에게 매달렸다. 철사 인형에게서 배고픔만 해결하고 포근한 천 인형에게서 하루를 보낸 것이다. 이 실험을 통해 아기에게 필요한 것은 단순한 보상이 아닌 부모와의 스킨십이 애착 형성에 크게 작용한다는 것을 알게 되었다.

또 중요한 욕구인 식욕보다 피부의 접촉이 더 중요하다는 사실을 알았고, 실제로 아무런 피부 접촉 없이 갓난아기를 방치한 경우 죽음에까지 이르렀다 한다.
그 후 또 다른 계속된 실험에서 새끼 원숭이에게 가짜 어미에게 애착을 갖게 만든 다음 그 가짜 어미가 새끼에게 물을 끼얹고, 전기 충격을 가하고, 날카로운 가시로 찔러도 새끼 원숭이는 계속 어미에게 기어와 안겼다. 원숭이도 상호작용을 원하고 애착을 바란 것이다.

2. 울 때 안아주면 버릇 들까?

다시 언급하지만 아기가 울 때 안아주는 것은 아기의 안정과 안전감을 제공하는 좋은 방법의 하나다. 아기는 출생 후 많은 변화와 새로운 환경에 적응해야 하므로, 울음을 통해 불편함이나 요구를 전달하려고 한다.

안아주는 것은 아기에게 따뜻한 신체 접촉과 안정감을 주어 애착관계 형성에 큰 도움을 준다. 또한, 아기가 울 때 달래어 주면 스트레스 감소와 진정효과를 가져올 수 있다.

안아줌으로써 버릇 들거나 의존적인 행동이 생긴다는 주장도 있지만 일반적으로는 사실이 아니다. 대가족 시대에 언니·오빠, 고모·이모·삼촌, 할머니·할아버지, 심지어 동네 분들까지 안아줄 사람들이 많은 시대의 얘기다.

핵가족화 되면서 '울면 버릇 든다.'라는 말은 구시대 명물이 되었다. 우는 아기를 엄마·아빠가 안아주지 않으면 그 누가 안아준단 말인가. 더욱 관심 있게 사랑으로 반응하는 것은 오히려 아기의 신뢰와 자신감 형성에 많은 도움을 줄 거라 믿고, 이 책을 읽는 이에게 전하고 싶다. 그러나 상황에 따라 다른 대응이 필요할 수도 있다. 예를 들어 배고픔, 기저귀 교체 등 간단한 요구사항을 충족시켰을 때 울음이 그치면 필요 이상으로 안아주는 것은 바람직하지 않다는 견해다.

이 시기 아기에게 '버릇 들인다.'라는 생각하면 절대 안 된다. '부르면 달려와 주는구나.' '항상 내 곁에 엄마가 있구나.'라는 믿음과 신뢰를 쌓는 것이 최우선이다. 믿음이 쌓이면 아기는 온순해지며, 잘 먹고, 잘 자고, 잘 놀게 된다.

울면(부르면) 바로 달려와 주는 엄마가 있다는 것은 아기에게 아주 든든한 최고의 보호막이다.

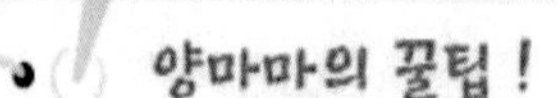

♠"울 때 바로 안아주면 버릇돼서요."라고 말하는 엄마에게 "아기가 엄마를 부르는데 듣는 둥 마는 둥 모르는 척하는 것은 양육이 아니라 사육입니다."라는 다소 센 말을 해줍니다. 아기가 부르면 바로 달려가야지요. 반대로 엄마가 아기를 부르는데 대답하지 않는다면 어떨 것 같은가요?

3. 안아 주기에 대한 상당한 오해

부모들에게 "울면 바로 달려가 주세요. 그리고 안아주세요."라고 말했더니 무조건 많이 안아주는 것이 좋다고 오해한다.

울면 바로 가서, 왜 우는지 확인하고, 기저귀, 수유 등 아기가 바라던 욕구를 해결해 주고 나면 더 안아주지 말고 눕혀놓아야 한다. 계속 혼자 놀다가 잠들 수도 있다.
그런데 유독 떨어지지 않으려고 눕히면 울고 안으면 그치는 날이 있다. 또다시 눕히면 울고 안아주면 그치고를 3번 정도 반복할 때 엄마에게 신호를 보내고 있다고 인지해라. "엄마, 오늘은 제가 원할 때까지 조금만 더 안아주세요."라고 말하고 있다.

이때는 각오하고 엄마 몸이 편한 자리, 소파나 의자에서 1~2시간을 안은 채 푹 재운다. 이렇게 하면 아기는 불안과 그간 쌓인 스트레스가 해소되어 원래의 평정을 되찾는다.
아기의 이 마음을 헤아리지 못하고 무시해버리면 해결하지 못한 불안과 스트레스가 엄마의 치맛자락을 계속 잡게 될 것이다.

아기가 무슨 스트레스냐 하겠지만, 모든 것이 힘들게 얻어진다. 사혈을 다해 젖을 먹어야 하고, 축축한 기저귀, 잠투정, 울음, 소음, 주변 여러 자극 등이 스트레스로 작용할 수 있다.

아기가 안아주기를 원하는지 여부를 잘 가늠하고, 놀 때 아기 혼자만의 시간을 주거나 졸릴 때 스스로 잠들도록 연습할 시간을 줘라. 필요 이상으로 안아줄 경우 버릇될 수 있다는 점도 알아야 한다.

울음은 아기의 첫 언어이다. 울음은 소통의 신호다. 울음으로 의사표현을 하고, 좋고 싫음을 나타낸다. 그다음 단계는 옹알이, 2개월 무렵이면 아기는 옹알이를 시작한다. 이때 아기 혼자서 옹알이하지 않도록 엄마·아빠가 곁에서 메아리처럼 맞장구를 쳐주면 아기의 정서는 물론 두뇌와 언어발달이 촉진되며 엄마·아빠의 목소리에도 익숙해진다. 아기는 이렇게 단계별 성장과 발전을 거듭하며 커간다.

양마마의 꿀팁!

♠ 신생아의 울음소리로 뭘 요구하는지 정확히 구분하기는 전문가도 상당히 어렵습니다. 초보 엄마는 울음소리로 구분하려 하지 말고, 그때그때 상황(수유할 시간이네, 잠자야 할 시간이 됐어, 응가했구나 등)으로 파악하세요. 이때가 지나면 아기의 울음소리와 표정이 성장과 더불어 다양해져 차츰 구별하는 재미를 느끼시게 될 것입니다.

4. 어떻게 하면 아기와 더 가까워질까?

열 달 동안 품고 있던 아기를 안는 첫 순간, 출산의 고통은 싹 사라진다. 너무나 사랑스러움에 첫눈에 반하지만 유리알 같은 투명함에 선뜩 손을 댈 수가 없다. 연약한 피부와 가느다란 팔다리가 행여 상처라도 날까 부러질세라 매사가 조심스럽다.

엄마는 앞으로 이 아기와 더 가까워지고 싶다. '나를 알고 너를 알면 백전백승'이라 했던가. 먼저 엄마의 마음과 현 상태를 들여다보고, 아기를 이해하려 노력하면 한 뼘 더 가까워져 있을 것이다.

아기와의 연결을 강화하고, 소중한 시간을 함께 보내는 것이 중요하지 않겠는가. 아기와의 깊은 유대를 형성하기 위해 상호작용, 소통, 안정감을 제공하는 다양한 방법을 적극적으로 활용해야 한다. 엄마 혼자가 아닌 가족과 함께 아름다운 육아 여정을 시작해 보자! 아기와 더 가까워지기 위해서는 아래의 방법들을 고려해 볼 수 있다.

1) **피부 접촉**: 스킨십은 아기와의 강력한 연결을 형성하는 데 도움이 된다. 아기를 안아주고, 품에 품거나 피부 간 직접적인 접촉을 유지하는 것은 안정감과 안락함을 주는 좋은 방법이다.

- 아기 가슴과 엄마나 아빠의 가슴에 서로의 피부를 맞댄다.
- 아기의 등이나 엉덩이를 따뜻한 손으로 부드럽게 문지르거나 쓰다듬어 준다.
- 가능하면 조용하고 안전한 환경에서 시간적 여유를 갖고 피부 간 접촉의 시간을 갖는다.
- 이는 아기뿐만 아니라 엄마·아빠에게도 아기의 사랑이 전달돼 하루의 피로를 씻어주는 역할을 한다.
- 엄마·아빠가 피곤하여 깊게 잠들어 버리거나, 흡연자일 경우 스킨십 시간에 주의해야 한다.

산모와 신생아의 초기 피부 접촉은 둘 사이에 특별한 연결과 유대감을 형성하는 좋은 방법 중 하나이며, 이러한 접촉은 아기의 체온 조절, 호르몬 분비 조절, 수유유도 및 장액 배출 증진 등 다양한 이점을 제공할 수 있다.

장액은 신생아가 태어난 직후에 배출되는 첫 번째 배변물을 의미하며, 아기의 소화관을 통과하며, 모태에서 섭취한 태반으로부터 나온 점액 혼합물로 구성되어 있다. 장액 배출은 주로 첫 24~48시간 이내 배변에서 관찰된다.

2) **눈으로 소통하기**: 아기와 눈으로 소통하며 상호작용하는 것은 애착 관계를 형성하는 중요한 요소다. 아기의 시선과 얼굴에 관심을 기울이고, 웃음과 미소로 응답하며, 아기와 대화하듯이 소통해 본다.

3) **목소리로 말하기**: 부드럽고 온화한 목소리로 아기에게 말을 건네고, 자장가와 같은 노래를 불러주는 것은 아기와의 감정적인 연결을 증진시키는데 도움이 된다. 아기의 이름과 생활 단어(거실, 식탁, 냉장고,,,), 그날의 날씨, 기분 등을 문장으로 반복해서 사용해 주면 아기의 언어 발달에도 도움이 된다.

4) **시간과 관심 갖기**: 출산 후 장시간 일관된 관심과 사랑을 보여주는 것이 중요하다. 일상적인 활동에서도 아기와 함께 시간을 보내며, 아기의 신호에 적절하게 반응해 준다.

5) **요구사항 충족**: 배고픔, 기저귀 교체 등 아기가 원하는 요구사항을 신속하게 충족시켜 주면 아기가 안전감과 만족감을 얻게 된다.

6) **마사지 및 스킨십 활동**: 아기에게 마사지를 해주거나 스킨십 함으로서 아기와 한층 가까워짐을 확인하게 된다.

7) **일관성 있는 돌봄 제공** : 일관된 돌봄 패턴(수면 시간, 목욕 시간 등)과 예상할 수 있는 환경은 아기가 안전감과 편안함을 느낄 수 있게 한다.

이런 모든 활동은 각각 개별적이며 다양할 수 있다는 점을 인지한다.

사랑의 터지-베이비 마사지

베이비 마사지는 신생아나 영유아에게 엄마·아빠나 돌봄자에 의해 제공되는 특별한 사랑의 표현이다. 이는 부드럽고 안정적인 접촉과 쓰다듬을 통해 아기의 신체적, 정서적, 인지적 발달을 촉진하고, 두뇌 발달은 물론 건강을 증진시키는 목적으로 사용된다.

베이비마사지는 아기에게 부모가 해주는 최고의 스킨십이라 할 수 있다. 또 베이비마사지는 엄마·아빠와 아기가 무언의 대화를 나누는 구체적이고 적극적인 사랑의 방법이기도 하다. 능숙한 테크닉을 구사하는 것보다 부모의 다정한 손길로 사랑을 전달하는 느낌이 더 중요하다.

베이비마사지는 신체와 정신건강 둘 다 지킬 수 있는 방법이다. 성장기 접촉을 통한 마사지로 사랑을 많이 경험한 아기는 신체적 면에서 건강한 성장을 할 수 있고, 정서적 면에선 원만한 성격을 형성할 수 있다. 또 베이비마사지를 해주면 아기의 뇌 속의 행복호르몬인 세로토닌을 원활하게 분비시켜 더 행복한 아이가 된다.

처음부터 무리한 마사지는 아기에게 안 좋은 기억으로 남아 마사지 자체를 거부할 수 있으니 아기의 기분을 살피는 것이 중요하며, 조금씩 시간을 늘려가야 한다.

아기가 마사지를 좋아하게 되면 배고파도 칭얼대지 않고 마사지를 즐기다가 끝나기 무섭게 젖 달라고 보채는 아기를 만나기도 했다.

1. 베이비 마사지 효능

베이비 마사지는 다양한 이점을 얻을 수 있다. 부드럽고 순환적인 마사지 동작은 근육 강화, 유연성 향상, 소화기능 촉진, 수면 질 향상, 정서적 안정감, 스트레스 감소 등 사랑하는 아기에게 큰 영향을 미친다.

베이비 마사지는 출생 후 겪게 되는 생리학적 변화와 스트레스로부터 회복력을 증진시켜 준다. 이로 인해 면역 체계가 강화되고 호르몬 분비가 조절된다.

아기의 피부를 자극해 줌으로써 뇌의 신경세포를 자극해 두뇌발달을 촉진하고, 배를 마사지하면 소화기관이 미숙한 아기의 변비나 가스 축적 완화 등 소화기능을 촉진한다. 또 신진대사를 원활하게 하여 성장발육에도 도움을 준다.

베이비마사지는 혈액순환을 촉진해 몸속의 노폐물 배설을 돕고, 세로토닌 호르몬 생성으로 정서적 안정감을 얻어 숙면을 돕는다. 이에 정서적인 안정감과 면역력을 높여주고, 긍정적인 감각 발달과 촉각과 근육의 발달을 향상시킨다.

부모와의 애착 증진 및 사람에 대한 친밀도와 유대감이 증대되고, 집중력 강화 등의 여러 가지 장점이 있는 것으로 밝혀졌다. 피부접촉으로 인해 아기에게는 믿음이, 부모에게는 자신감이 생겨 아기를 양육하는데 만족감을 얻을 수 있다.
이렇게 많은 효능을 가진 베이비 마사지를 미루거나 안 할 이유는 하나도 없다.

2. 마사지 실내 환경

① **시간** : 아침을 먹고 하루를 준비한 후 실시하면 좋지만 오후나 밤에 하는 것도 괜찮다.

② **온도** : 따뜻한 곳에서 마사지해 주면 편안해하고 쉽게 이완된다. 얇은 옷을 입고도 따뜻할 정도로 방 안의 온도를 유지한다.

③ **준비물** : 아기를 눕힐 수 있는 수건, 여분의 옷, 음악, 오일 등을 준비한다.

양마마의 꿀팁 !

♠ 마사지하기 전 아기에게 "마사지하자. 엄마가 지금부터 OO에게 마사지 해줄 거야."라고 알려주세요 예고 없이 갑자기 자기 몸을 만지면 많이 놀랄 거예요. 아기지만 자신을 소중히 여기는 것을 알 것이며, 인격 존중은 자존감 형성에 중요한 요인이 될 것입니다.

3. 베이비 마사지법

효능이 많은 베이비 마사지법을 아래에 소개한다. 아무리 좋은 것도 아기의 기분이 좋지 않거나 싫어하는 표정이 보인다면 하던 마사지도 바로 멈추는 것이 기본이다.

신생아 마사지는 겉싸개만 벗긴 채 옷은 벗기지 않고 실시한다.

- 위에 부담이 가거나 게워 낼 수 있어 수유 후 40분~1시간이 지난 후 실시한다.
- 엄마의 손을 깨끗이 씻고, 비벼서 차갑지 않게 한다.
- 아기의 기분이 좋을 때 하며, 중간중간 기분을 살펴 싫어하는 듯하면 바로 멈춘다.

① 머리 마사지

- "OO 이쁘다."라고 말하며, 엄마의 두 손으로 아기의 머리를 반복하여 쓰다듬어 준다.

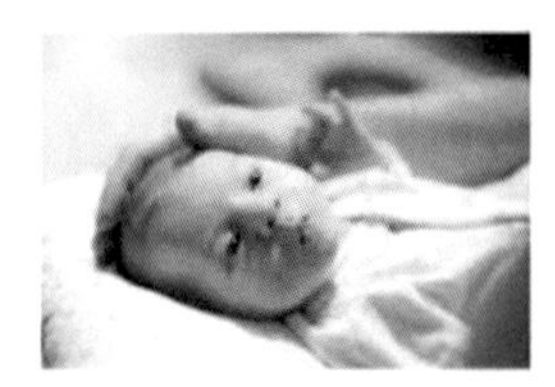
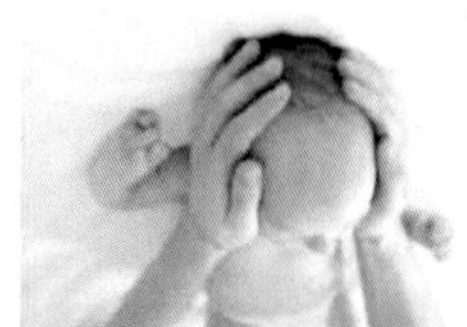

② 이마 마사지

- 엄마의 두 손으로 아기의 머리 전체를 감싸듯 잡고 양 엄지손가락으로 위로 쓸어 올리고 양옆으로도 쓸어준다.

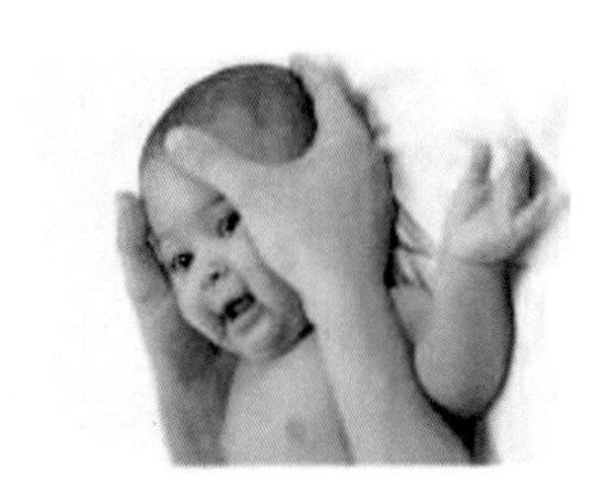

③ **이마 외 얼굴 마사지**

- 엄마의 엄지 또는 검지를 이용하여 눈, 코와 입술, 귀 등을 부드럽게 만져준다.
- 아기의 귀여운 볼도 만져준다.

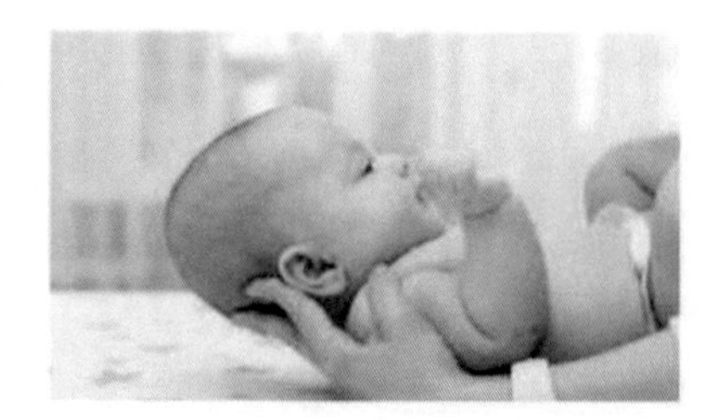

④ **가슴 마사지** - 폐와 심장의 기능에 도움

- 엄마의 두 손으로 아기의 가슴 중심에서부터 하트모양을 그리며 "OO아, 사랑해!"라고 말해준다. 또 원을 그리기도 하고, 옆으로 쓸어주기도 한다.

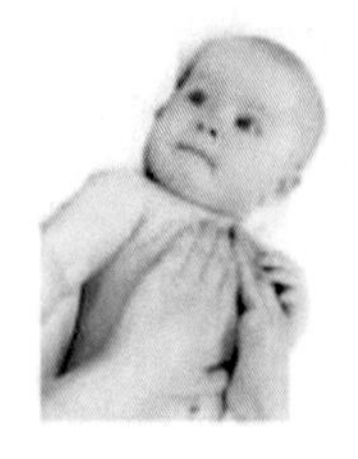
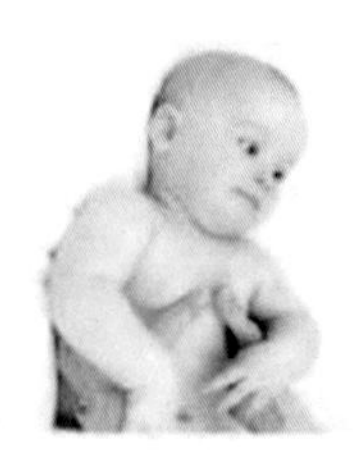
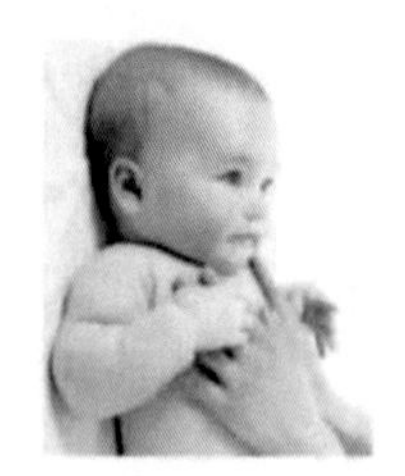

⑤ **배 마사지** - 변비 완화, 자연스러운 배설에 도움

- 엄마의 두 손을 펴서 아이의 배 위에 놓고 두 손을 번갈아 가며 위에서 아래로 쓸어주고, 양옆으로도 쓸어주면 좋다.

- 엄마의 네 손가락(엄지 제외)을 이용해 시계방향으로 쓸며 돌려 준다.

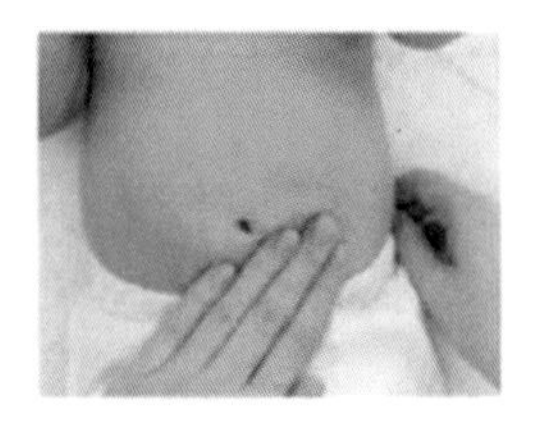
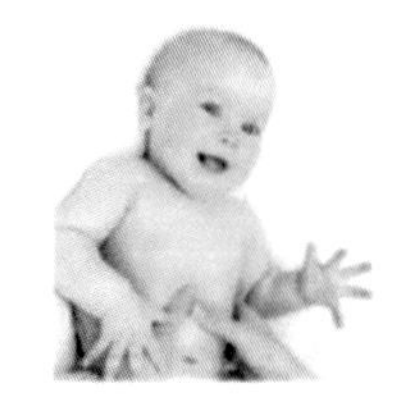
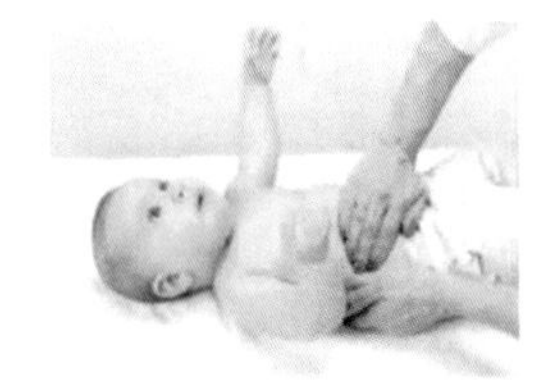

⑥ **팔·다리 손발 마사지**

팔다리의 근육과 뼈관절의 유연성 강화시킨다.

- 팔·다리와 손발은 물론 손과 발가락까지 마사지하되 모든 관절은 성장판이므로 마사지를 삼가 하여야한다. 관절 외 부분을 부드럽게 마사지한다.
- 다리는 허벅지를 잡고 쭈쭈 해주면 대부분의 아기는 좋아한다.

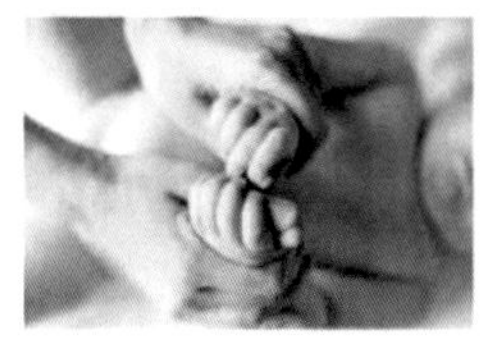
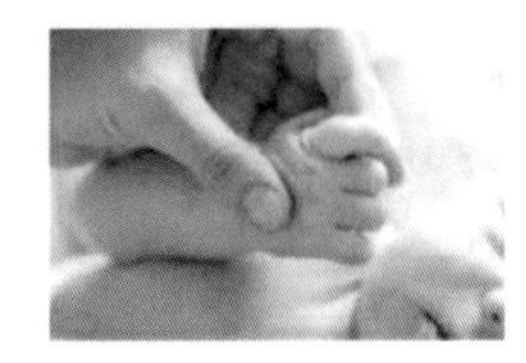
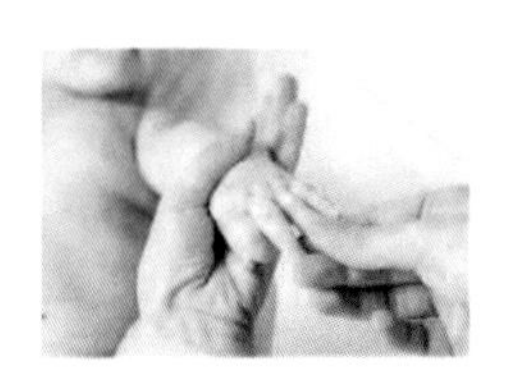
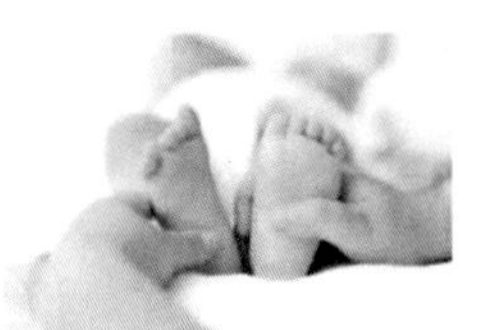

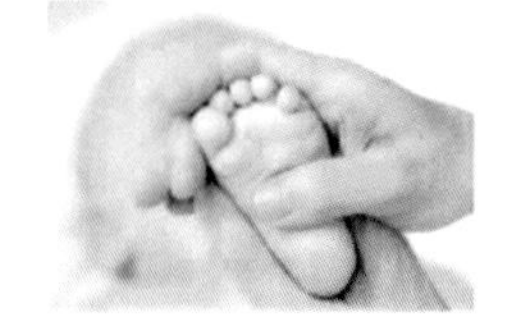

⑦ **등·등뼈 마시지**

척추를 지지하는 근육을 발달시킨다.

- 옆으로 눕히고 한손은 받쳐주고 다른 손은 등을 쓸어준다.
- 아기가 엎드리는 것에 힘들어하지 않는다면 엎어놓고 마사지해도 된다.

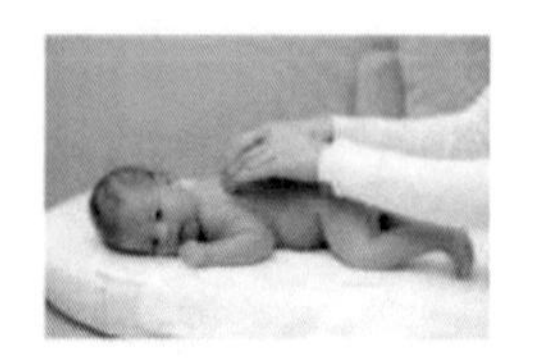
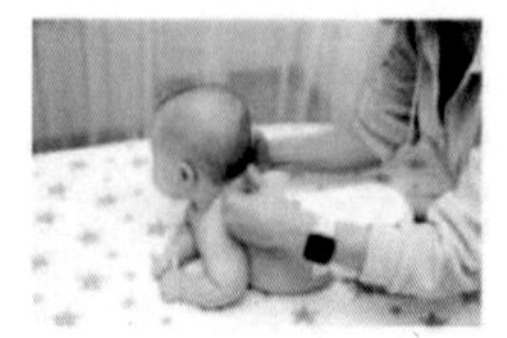
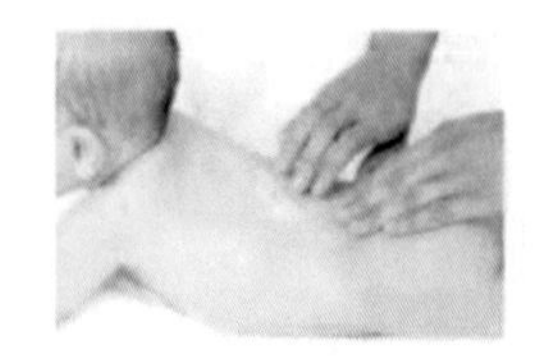

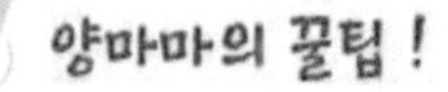

♠ 위에서 나열은 했지만 마사지의 방법이나 순서가 뭐 그리 중요하겠는지요? 아기를 사랑하는 마음으로 머리를 쓰다듬어 주고, 귀여워 볼을 만져주고, 기저귀를 갈면서 쭉쭉 크라고 쭈쭈 해주고, 편하게 잠들도록 등과 엉덩이를 토닥여 주는 이 모든 행위가 마사지이자 부모의 조건 없는 무한한 사랑인 것을요.

4. 마사지 후 스트레칭

베이비 마사지 후에 스트레칭을 추가로 더 할 수 있다. 이는 반드시 부드럽고 조심스러운 동작으로 진행해야 하며, 아기가 편안하고 안전한 상태에서 진행되어야 한다. 꼭 아기의 반응에 주의를 기울이는 것이 중요하다. 아기가 마사지를 즐거워하고 더 받아들이는 느낌이 있어야 한다.

목 스트레칭은 아기의 목을 잘 지탱한 후, 조심스럽게 좌우로 돌리거나 앞뒤로 기울여 줄 수 있습니다. **등 스트레칭**은 아기를 안정된 자세로 유지 시키고 등과 어깨 부분을 부드럽게 문지르거나 가볍게 돌려준다.

팔 스트레칭은 아기의 팔을 부드럽게 움직여 준다. 팔꿈치를 구부리거나, 손목과 손가락을 가볍게 움직여 줄 수 있다. **다리 스트레칭도** 아기의 다리를 부드럽게 잡고 살짝 늘려준다는 느낌으로 스트레칭을 해주거나 발목을 가볍게 돌리거나 무릎을 접어 흔들어 줄 수 있습니다.

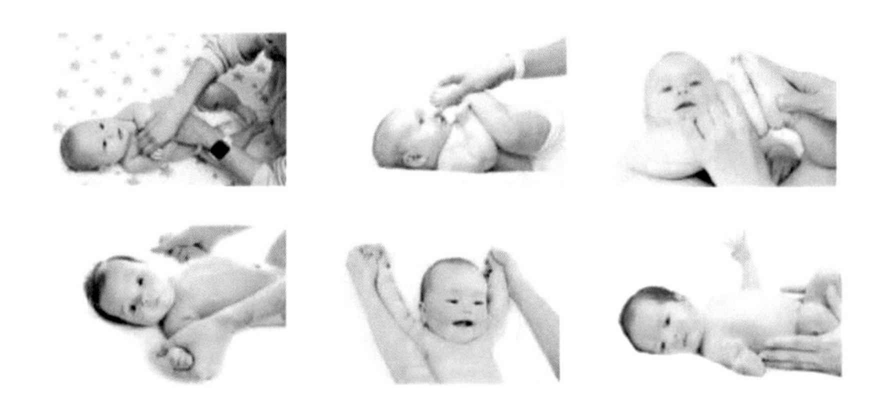

아래 나열한 스트레칭은 무리하지 않게, 할 수 있는 만큼만 한다.

① 팔과 팔을 교차시킨다. 팔목을 잡고 가볍게 털어준다.
② 반대로도 해준다.
③ 발목을 잡고 다리와 다리를 팔처럼 교차한 후 발목을 가볍게 털어준다.
④ 반대로도 해준다.

⑤ 팔과 다리를 교차시킨 후 털어준다.

⑥ 반대편 팔과 다리를 교차시킨 후 털어준다.

⑦ 다리가 벌려지지 않게 구부려서 아랫배를 눌러준 후 털어준다.

⑧ 엄마만의 여러 방법으로 사랑의 터치(마사지)를 한다.

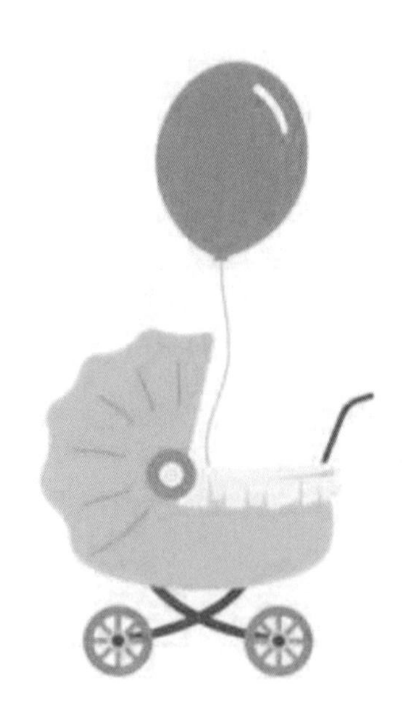

"아기는 엄마의 사랑으로 세상을 알아가며,
엄마는 아기와 함께 세상을 바라본다."

자녀를 영재로 키운
전직 산후관리사가 전하는

육아 실전수업 및 꿀팁

육아도 아는 만큼 쉬워진다.
'아기에게 최고의 선물은 시간과 사랑이다..'

Chapter 2

•

아기 돌봄과 관리

✦✦ 아기를 위한 집안 적정온도와 환경관리

✦✦ 신생아 체온측정 방법과 열났을 때 대처법

✦✦ 예방접종을 위한 준비 및 외기욕

✦✦ 신생아•소아 예방접종표

아기를 위한 집안 적정온도와 환경관리

집안의 적정 온도와 환경은 아기의 편안함과 안전을 위해 매우 중요하다. 신생아가 있는 경우라면 실내 온도를 23~25°C 유지해 주기를 권한다. 하지만 아기마다 기초체온이 다를 수 있으므로 아기의 행동이나 피부 상태를 살펴보고 조절해야 한다.

집안 환경도 연일 미세먼지가 하늘을 덮고 코로나19로 인해 건강에 대한 인식이 달라지고 있고, 면역력이 약한 신생아를 둔 집이라면 더욱더 각별한 신경을 써야 하는 때이다.

1. 실내 적정온도/습도

신생아는 스스로 체온을 유지할 수 없어 집안 온도에 매우 민감하게 반응한다. 그 이유는 체내 온도조절장치인 갑상샘이 덜 자라서 땀샘이 제대로 작동되지 않아 스스로 체온을 낮추지 못하기 때문이다. 실내가 너무 덥거나 너무 춥지 않도록 각별한 신경을 써줘야 한다. 더운 여름철 선풍기나 에어컨 바람은 산모나 신생아에게 간접적으로 닿게 해야 한다.

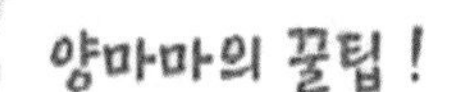

♠ 육아정보를 얻기 힘든 시절, 옛 어르신들은 아기를 꽁꽁 싸매고 두꺼운 이불로 덮어 따뜻한 아랫목에서 키웠지요. 그것이 갓 태어난 여리고 가냘픈 아기에게 최상의 보호로 여겼던 것 같아요. 아기를 서늘하게 키우는 것이 피부와 호흡기 면역력이 좋아져 감기에도 잘 걸리지 않게 됩니다.

또 겨울철에는 습도에 각별히 신경 써줘야 아기가 감기에 걸리지 않고 코막힘이 덜하다. 건조할 때 가습기나 젖은 수건, 빨래 등을 널어 습도를 조절한다.

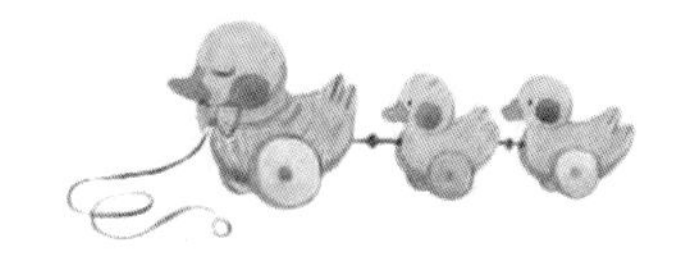

◆ 신생아에게 적절한 실내 온도와 습도

구분	온도	습도
평균	23~26℃	55~60%
여름	19~22℃	50~60%
봄가을	23~26℃	50~60%
겨울	24~28℃	60~65%

- 온도가 너무 높으면: 아기피부가 붉어지고, 옷과 머리카락도 젖어 있다. (열꽃이나 태열, 땀띠 등이 올라올 수 있고, 아기가 더워 운다)
- 온도가 너무 낮으면: 선홍색이며 뽀얗던 피부가 창백하고 푸른빛이 돈다. (재채기를 자주 하고 콧물을 흘리며 감기에 걸리기 쉽다)

양마마의 꿀팁 !

♠ 신생아는 체온이 어른보다 높으므로 실내온도를 23~25℃에 맞춰야 하고, 출산한 엄마는 산후풍 예방을 위해 26~27℃에 맞춰야 합니다. 엄마와 아기가 한 공간에 있어야 하기 때문에 방 안 온도를 아기 적정 온도에 맞추고, 엄마는 옷을 하나 더 입고 양말을 신는 게 좋습니다. 두꺼운 옷보다 얇은 옷을 여러 개 겹쳐 입으세요.

2. 실내조명

신생아 케어에 사용되는 실내조명은 아기의 눈에 영향을 줄 수 있어 안전과 편안함을 고려하여 선택한다. 아기의 눈은 출생 후 몇 주

동안 계속 발달하고 성장하는 단계에 있으니 조명에 민감할 수 있다.

강하고 밝은 조명은 아기가 피로하거나 짜증스러워질 수 있으므로 너무 강한 직접적인 조명을 피하는 것이 좋다. 간접 조명은 부드럽고 분산된 빛을 제공하므로 아기에게 편안한 분위기를 조성해 줄 수 있다.

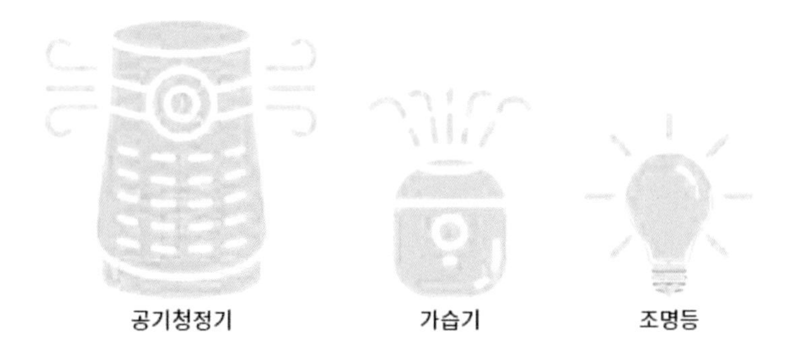

밝기를 조절할 수 있는 조명등은 아기의 수면 시간이나 밤중 기상 시에도 적합한 빛을 제공할 수 있다. 저조한 빛으로 방 안을 가볍게 비추면서도 충분히 볼 수 있는 정도의 밝기로 설정하는 것이 좋다.

자연광은 아기의 생체 리듬과 면역 체계 발달에 큰 영향을 준다. 가능한 유리창으로부터 들어오는 자연광을 최대한 활용하는 것이 좋다. 이때 창문 근처에서 유해 UV 선과 과도한 열을 차단하기 위해서 커튼이나 블라인드를 사용하는 것도 중요하다.

야간 돌봄 시에는 너무 밝지 않으면서도 아기가 잘 보일 수 있는 야간 등을 사용하는 것이 좋다. 야간 등은 기저귀 교환, 수유 등 필요로

할 때마다 손쉽게 점등하거나 소등할 수 있는 형태가 가장 편리하다.

조명등은 신생아가 직접 불빛에 직면하지 않도록 배치하고, 전구나 전자 제품들이 너무 가까워지지 않게 주의해야 한다. 아기와 상호작용 하며 지낼 때는 완전히 어두운 공간보다는 적당한 밝기의 조명 아래에서 지내는 것이 좋다.

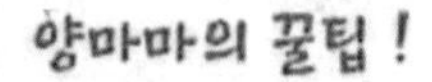

♠ 신생아를 밤에는 방안 커튼을 닫고 어두운 곳에 눕히고, 낮에는 거실 커튼을 걷고 밝은 곳에 눕혀 재우거나 돌보세요. 그래야 밤낮이 바뀐 것을 빨리 잡아줄 수도 있고, 밤에 부모가 바라는 통잠도 재울 수 있지 않겠는지요.

신생아는 아직 밤낮을 구분하지 못한다. 실내조명을 낮에는 밝게 밤에는 어둡게 하여 차츰 낮과 밤을 구별할 수 있도록 해준다. 기저귀를 갈아주거나 수유할 때는 수유 등을 활용한다.

3. 집안 환기

집안 환기는 실내 공기를 신선하게 유지하고 공기 중의 오염물질을 순환시키는 과정이다. 적절한 환기는 건강한 실내 환경을 조성하고 불쾌감도 줄여준다. 계절마다 날씨와 온도 변화가 있으므로 해당 계절에 맞춰서 집안 환기를 관리하면 좋다.

환기의 가장 간단하고 효과적인 방법은 창문을 열어 외부 공기를 실내로 유입시키는 것이다. 가능한 모든 방이나 공간에서 정기적으로 창문을 열어 환기시킨다. 이렇게 하면 실내에 머무르는 습도, 이산화탄소 등의 오염물질이 외부로 배출되며 신선한 공기가 유입된다.

주방과 욕실 같은 습도와 냄새가 많은 장소에서는 환풍구를 사용하여 오염된 공기를 밖으로 배출할 수 있다. 부엌에서 나는 요리 냄새도 가스레인지 후드를 켜고 보다 더 효과적으로 제거할 수 있게 한다.

요즘 황사와 미세먼지 때문에 맑은 하늘을 보기가 드물어졌다. 그래도 환기시키는 것이 더 좋다고 하니 문을 열어 공기를 바꿔줘야 하는데 들어올 미세먼지 때문에 마음은 편치 않다. 집안 벽지나 장판에서 나오는 발암물질이나 환경호르몬 등이 더 나쁠 수 있다. 집안 공기를 바꿔주는 환기는 필수인 것 같다.

양마마의 꿀팁 !

♠ 핸드폰으로 '날씨'를 검색하면 미세먼지와 초미세먼지 농도 등이 지역별, 시간별로 자세히 나와 있으니 참작하여 공기 질이 좋은 시간대에 집 안 환기를 시켜주세요.

또 공기청정기가 필수시대이고, 더욱이 신생아에게 필요한 만큼 잘 활용하여 집안을 쾌적하게 관리하시어 가족 건강을 챙기세요.

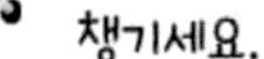

4. 집안 청결

요즘 대부분의 산모는 아기를 낳고 산후조리원에서 2~4주 정도 조리를 한다.
아기와 산모가 조리원에 있는 동안 아빠는 아기를 맞이할 집 안 청소를 깨끗이 한다. 아빠가 시간이 안 날 때는 청소대행업체를 불러서 하는 경우도 있다.

불결한 집안 환경은 신생아에게 병균을 옮길 수 있고, 산모의 회복이 늦어질 수 있으며, 산후관리 해주시는 분이 근무 환경을 이유로 거절할 수도 있다. 그 외 아기 세탁기 청소, 정수기 필터 교체, 냉장고 청소 등은 물론 양념류도 유통기한 체크하여 기간이 지난 것은 버리고 새것으로 사서 준비해 두어야 한다.

집안 청결은 가족의 건강과 안녕을 유지하는 데 매우 중요하다. 깨끗하고 정리된 집안은 먼지, 알레르기 유발 물질, 세균 등의 불쾌한 요소들을 줄여주며, 생활의 질을 향상시킨다.
매일 집안에서 발생하는 쓰레기를 처리하고, 바닥을 쓸어주고, 사용한 식기를 씻는 등의 기본적인 청소를 함으로써 집안에 먼지나 오염물질이 축적되는 것을 방지할 수 있다.
또 주기적으로 집안 전체를 깨끗하게 청소해야 한다. 이는 가구와 침구류의 손질, 창문과 커튼의 세척, 현관과 베란다 등을 포함한다. 주방과 욕실 같은 공간에는 습해서 오염이 많이 낄 수 있으므로 더 깨끗하게 유지해야 한다.

필요하지 않거나 손상된 부속품들은 버리거나 교체한다. 손세정제와 면도칼 같은 개인위생용 제품을 각기 사용하여 각종 병원균 전파 가능성을 최소화하고, 애완동물을 키우는 경우에도 위생 상태와 배설물 처리에 신경 써야 한다.

이 외에도 집안 청결을 위해 신경을 써야 할 것들이 많다. 신생아를 맞이하기 위한 일회성이 아니라 일관되게 정기적이고 지속하는 것이 중요하다.

5. 신생아 방안 환경

신생아의 방안 환경은 우선 안전과 편안함을 보장해야 한다. 신생아는 많은 시간을 잠자리에서 보내기 때문에 안전한 침대와 편안한 침구류가 필요하다. 적절한 크기의 유아용 침대를 선택하고, 단단한 매트리스를 고른다. 베개는 신생아의 경우 거의 사용하지 않는다.

아기방의 온도와 습도를 조절하여 신생아가 편안하게 지낼 수 있도록 해야 한다. 방은 깔끔하게 유지하고, 주기적으로 청소해야 하며, 미세먼지나 알레르기 유발 물질이 축적되지 않게 공기청정기 등을 사용할 수 있다.

조명은 간접조명을 사용하여 아기에게 편안함을 주고, 실내에서 발생하는 소음은 아기의 수면과 안정에 영향을 줄 수 있으므로 가능한 한 줄여주는 것이 좋다,

아기에게 위험이 될 수 있는 낙상 위험 물건 등은 제거하고, 떨어지지 않게 장치를 설치하여야 한다. 아래 내용을 하나씩 체크해 본다.

- 방안은 계절에 맞게 온도를 맞춘다. (약간 따뜻하게)
- 겨울철에는 방안의 습도에 더 신경 쓴다.
- 아기의 잠자리는 가 쪽보다 방 가운데에 정한다.
- 밤에는 간접조명을 켠다.
- 낮에는 밝은 거실로, 밤에는 어두운 안방으로 옮긴다.
- 아기방 청소는 매일 청결하게 한다.
- 환기는 수시로 하고, 공기청정기를 돌린다.
- TV는 가급적 켜지 않거나 다른 방으로 옮기는 것이 좋다.
- 소음을 발생하는 가전제품은 다른 곳으로 옮긴다.
- 떨어지기 쉬운 물건이 있는지 확인하고 제거한다.

신생아 체온측정 방법과 열났을 때 대처법

아기에게 열이 난다면 엄마와 아빠는 긴장과 걱정이 한 가득이다. 열이 있을 경우 축 처져 활기가 없고, 먹는 것도 시원찮다. 말 못 하는 아기일수록 부모는 아기를 잘 관찰하고 지켜보며 열이 있는지를 확인하고 체온을 재보아야 한다.

신생아의 체온 측정은 중요한 부분이며, 요즘 나오는 디지털 체온계나 귀 온도계 등을 사용하면 정확하게 측정할 수 있다. 만약 열이 올라 응급상황일 경우 의료진의 진료를 받아야 한다.

신생아는 움직임이 없고 대부분 잠을 자기 때문에 열 생성량이 적지만, 열을 빠르게 잃어버리기 때문에 올바른 온도조절에 각별히 신경 써줘야 한다.

1. 신생아 체온측정 시 유의 사항

- 왼쪽과 오른쪽 귀의 체온이 차이가 있다.
  (항상 같은 쪽 귀를 측정한다)
- 처음엔 양쪽 귀를 다 측정해서 높은 쪽을 기준으로 한다.
- 두 귀의 온도 차가 심하다면 잠시 후 다시한번 측정한다.
- 귀가 바닥에 오래대고 있거나 덮고 있는 경우 30분 뒤 측정
- 목욕 직후 체온 측정은 30분 뒤에 한다.
- 오전보다 오후에 체온이 더 오르니 참고하여 측정한다.
- 아기 기초체온은 성인보다 0.5~1℃ 정도가 높다.
- 신생아가 저체온일 경우도 있다.

양마마의 꿀팁!

♠ 1편에서 아기의 기초체온 재는 법을 자세히 올려놓았습니다. 아기의 기초체온이 높으면 시원하게, 낮으면 따뜻하게 돌보는 것이 잘 먹고 잘 자게 하는 좋은 방법입니다. 아기가 기운이 없어 보이거나 유달리 보채면 열을 체크해 보세요.

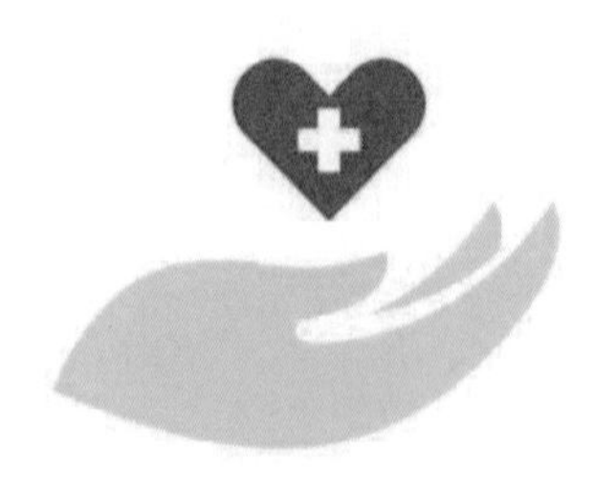

2. 신생아 열이 났을 때 대처법

아기의 체온을 측정하고 열이 난다면 내려주는 것이 우선이다. 실내 온도를 낮춰 시원하게 하고, 열 때문에 아기가 갈증을 느낄 수 있으므로 모유 또는 분유를 통해 수분 섭취를 도와준다. 이때 38℃ 이상인 경우에는 의료진의 상담을 받아야 한다.

아기가 열이 난다고 옷을 전부 벗기지만은 않는다. 체온에 따라 얇은 속옷을 입히는 경우도 있고, 손발이 파랗고 너무 차가우면 손·발싸개를 해주기도 한다.

신생아가 열이 나면 임의로 해열제를 먹여서는 안 된다. 미지근한 물수건으로 연약한 피부를 문지르지 말고 적셔준다. 물이 몸의 열을 빼앗아 가면서 체온이 내려간다.

냉찜질이나 냉각시트는 붙이지 않는다. 체온이 떨어지는 것 같지만 몸은 체온을 유지하기 위해 더 고열을 낸다. 또 찬바람이 아기에게 직접 닿지 않도록 주의해야 한다. 고열일 경우 집 온도를 너무 낮추지 않는다.

아기의 수분보충을 위해 분유(30% 적게)를 묽게 타서 자주 먹인다. 그리고 아기가 편안히 안정을 취할 수 있도록 보살펴 준다. 고열과 오한이 발생한 경우는 조치를 취하며 바로 병원으로 간다.

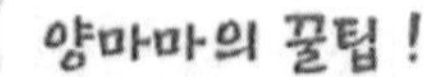

양마마의 꿀팁 !

♠ 세균이나 바이러스가 몸에 들어가면 백혈구들은 이들과 싸워 이기기 위해 몸의 온도를 단시간에 뜨겁게 올립니다. 체온이 올라가면 몸을 떠는 증상(오한)이 나타나게 되는데 엄마들은 당황하여 아기의 열을 내리기 위해 옷을 다 벗기지요. 오한이 심할 경우 실내 온도를 너무 춥게 하지 않는 것이 좋겠습니다.

예방접종을 위한 준비 및 외기욕

귀여운 아기 예방접종 하는 날에는 엄마·아빠가 더 긴장하고 걱정도 한다. 주사 맞을 아기 때문에 애타고, 또 주삿바늘에 놀라 울게 될 아기를 지켜보고 달래야 하기 때문이기도 하다.

예방접종은 대부분 오전에 하는 게 좋다. 그 이유는 접종으로 인하여 열이 난다거나 위급상황이 오면 대처할 수 있는 시간이 밤보다는 낮이 낫기 때문이다.

예방접종은 전염성 질환을 예방하기 위함이다. 미생물 병원성을 제거하거나 약하게 하여 몸의 저항력을 높이기 위해 주사 또는 접종하는 것이다. 예방접종 시기는 산모수첩을 참조하고, 잊지 않게 일정에 잘 기입해 둔다.

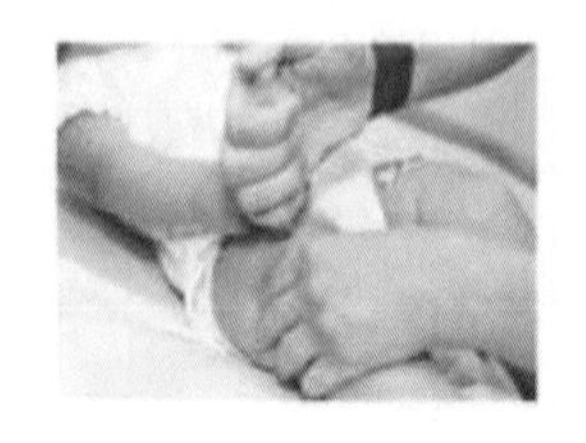
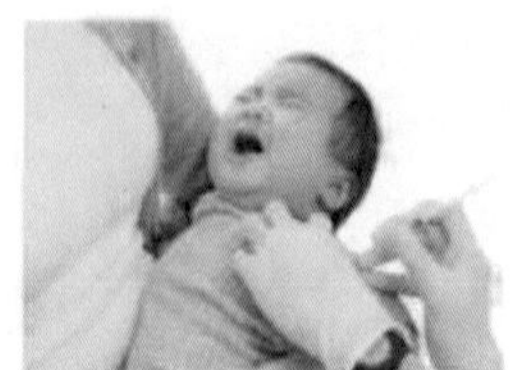

1. 예방접종 준비물

- **아기에게 알려주기** -

  "오늘 병원 가서 예방접종 할 거야"
  "주사 맞으면 아플 거야" 등을 말해주어야 한다.

- **육아수첩** : 반드시 육아수첩을 지참한다.

- **궁금한 질문지** : 아기를 돌보며 궁금했던 내용을 적어뒀다가 의사 선생께 여쭤보기 위해 가져간다.

- **여벌 옷, 거즈 손수건, 기저귀, 물티슈** : 대변을 보거나 우유 등을 개어 낼 수 있으니 돌발 상황에 대처하기 위해 여벌로 준비해 가는 것이 좋다.

- **분유수유 시** : 분유(분유 소분통 활용 가능), 따뜻한 물을 담은 보온병, 젖병 등

• 동행해 **주실 분** : 초보 엄마·아빠가 혼자서 신생아를 데리고 병원에 가는 것은 어려움이 많다. 아기를 키우는 부모는 같이 가 달라고 부탁하는 용기도 필요하다.

양마마의 꿀팁 !

♠'아기가 뭘 알겠어.'라고 생각하지 말고 접종 전에 병원에 갈 것과 주사 맞을 것에 대한 설명을 충분히 해주세요. 접종 후 아기에게 "놀랐어?", "주사 아팠구나!", "오늘 정말 잘했어.", "참 대견해!" 등등 꼭 공감과 칭찬의 말을 건네주세요.

2. 예방접종 전·후 주의 사항

• 예방접종 시기는 태어난 날을 기준으로 한다.

• 접종은 가능하면 오전에 해야 한다. 접종 후 열이 오르는 것을 낮 동안 지켜봐야 하고, 만약에 열이 오를 경우 병원을 방문해야 하기 때문이다.

• 접종 후 하루 동안 목욕은 삼가야 하므로 목욕은 병원 가기 전 일찍 시킨다.

• 병원 가기 전 아기의 체온을 재서 열이 없는 것을 확인한다.

• 아기에게는 엄마가 직접 접종하러 가는 것이 좋으며, 만약 다른 사람이 데리고 갈 때는 아기의 상태를 정확하게 알려주고, 어떤 접종인지

몇 차 접종인지 반드시 알고 가게 한다.

- 아빠가 데려다줄 수 있는 편한 날에 접종하는 것도 좋다.
- 예방접종은 며칠 늦어도 괜찮으며 건강할 때 접종하도록 한다.
- 접종 후 아기를 가급적 편안하게 해주고, 2시간마다 체온 체크를 하여 열이 오르는지 잘 지켜봐야 한다. 만약 열이 38℃ 이상 오를 경우 바로 병원에 간다.
- 접종 후 접종부위는 잠시 눌러주는 것으로 충분하다.
- 접종 후 대기실에서 15~20분 정도 상태를 관찰하고 집에서도 3시간 정도 주의 깊게 관찰하는 것이 좋다.
- 접종 부위가 붓는 것은 흔한 증상이며 심하지 않으면 걱정하지 않아도 된다. (BCG 경우 한 달 후에 접종 부위가 곪는 경우가 많으며, 심하지 않으면 그냥 두고 본다)

양마마의 꿀팁!

♠육아를 하다보면 여러 가지를 해야 해서 집중력이 종종 떨어집니다. 병원 갈 때 지참해야 하는 육아수첩을 오랫동안 보관해야 하는데 잃어버리기 일쑤죠. 난감한 상황을 대비해 휴대전화로 사진을 찍어두고, 일정에도 기재해 두면 걱정이 줄어들 거예요.

3. 아기 외기욕

아기 외기욕은 따뜻한 날씨나 적절한 환경일 때 아기를 바깥 공간으로 데리고나가는 것을 말한다. 이는 실내보다 자연의 햇빛과 보드랍고 신선한 공기를 아기에게 제공하여 건강과 발달에 도움을 주는 활동이다.

외기욕의 이점은 많다. 아기 **두뇌그릇은 6개월에 완성**, 생후 1년이 중요하고, **두뇌발달의 75%는 외부자극**이다. 꽁꽁 싸매고만 있는 것이 답이 아니란 얘기다.
아기가 야외에서 잔잔한 바람, 자연의 소리, 햇빛 등 외부 체험을 통해 얻는 다양한 자극들은 아기의 감각 발달에 긍정적인 영향을 준다.

태양에서 생성되는 자외선은 아기의 피부를 통해 비타민D를 합성하는 데 도움을 준다. 비타민D는 뼈 건강 및 면역시스템 강화에 중요하며, 외부 환경에서 받는 태양광은 이 영양소의 생산을 지원하여 비타민D 흡수를 증진한다.

아기 외기욕은 약간의 외부 세균이나 미생물에 노출되면서 아기의 면역시스템이 조금씩 강화된다. 일정 수준의 청결도와 위생을 유지하면서 약간의 접촉은 아기들이 성장하는 동안 면역력 개발과 강화에 도움이 된다.

자연환경에서 보내는 시간은 아기들에게 안정감과 평온함을 제공할 수 있다. 풍경, 자연, 햇빛, 부모와 함께 보내는 귀중한 순간들은 스트레스 해소와 정서적 안정감을 제공하는 데 기여한다.

신생아 외기욕은 4.5~5kg 되면 가능하다. 처음은 실내 창문을 통해 햇볕을 쬐는 것부터 시작하고, 차츰 조금씩 시간을 늘려나간다. 밖으로 나가 외기욕을 할 때는 반드시 안거나 업거나 유모차 등으로 보호되어야 하며, 너무 오래 지속되거나 날씨가 너무 덥거나 추운 경우에는 피해야 한다. 날씨와 환경에서 충분한 관리와 보호 속에 외기욕을 진행하는 것이 좋다.

이렇게 아기 외기욕의 효과는 바깥 공기를 쐬면 점막 호흡기를 자극해 외부 환경 저항력을 높이고 피부도 건강해진다. 이와 더불어 감각개발과 발달, 비타민D 흡수, 면역력 강화, 정서적 안정감까지 제공하기에 시간 내서 외기욕을 시켜준다.

신생아를 외기욕 시킬 때는 살갗으로 흐르는 바람의 느낌, 나뭇잎 부스럭대는 소리, 형, 누나, 언니, 오빠들 재잘거리는 소리, 자동차 소리 등 엄마가 먼저 느끼고 아기에게 전달해 주면 좋다. 이때 엄마는 수다쟁이가 된다.

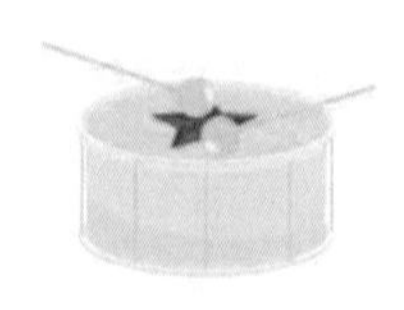

◆ 단계별 아기 외기욕 방법

구 분	방 법
생후 3주 전	실내 창문을 통해 간접적으로 햇볕을 쬔다. (오전 10~오후 1시 사이, 5~10분 정도가 좋다)
생후 1개월	창문을 열고 바깥공기를 쐬게 한다.(15분 적당)
생후 2개월	위 내용을 하루 30분, 2~3회 실시한다.
생후 3개월	안거나 유모차에 태워 집 근처 공원, 놀이터 산책 (처음 2~3회는 -**5분**씩, 그 다음 2~3회는 -**10분**씩, 차츰 시간을 늘려가며, 주 2~3회는 데리고 나간다)

4. 아기 성장 기준표 보는 법

우리 아기 얼마나 컸을까? 잘 먹고, 잘 크고 있나? 초보 엄마·아빠들은 하루하루 커가고 있는 아기에게 온몸과 마음을 집중한다. 숨소리 하나까지도 셀 정도다.

다른 아기와 비교하며 일희일비하는 경우도 많다. 키나 몸무게가 다른 아기보다 더 나가면 좋겠지만 그렇지 않은 경우는 거의 울상을 한다.

아기의 성장 기준은 내 아기가 **태어났을 때의 체중**으로 삼아야 한다. 다음에 있을 '세계보건기구(WHO) 어린이 성장 기준' 표를 보면 남아의 경우 왼쪽 2.3kg으로 태어난 아기와 오른쪽 4.6kg으로 태어난 아기의 비교는 말이 안 되는 것이다.

2006년 세계보건기구(WHO) 어린이 성장 기준

남아 연령별 체중(kg) 백분위수 (0-13 주) (0-3 개월)

남아	백분위수										
주	1	3	5	15	25	50	75	85	95	97	99
0	2.3	2.5	2.6	2.9	3.0	3.3	3.7	3.9	4.2	4.3	4.6
1	2.4	2.6	2.7	3.0	3.2	3.5	3.8	4.0	4.4	4.5	4.8
2	2.7	2.8	3.0	3.2	3.4	3.8	4.1	4.3	4.7	4.9	5.1
3	2.9	3.1	3.2	3.5	3.7	4.1	4.5	4.7	5.1	5.2	5.5
4	3.2	3.4	3.5	3.8	4.0	4.4	4.8	5.0	5.4	5.6	5.9
5	3.4	3.6	3.7	4.1	4.3	4.7	5.1	5.3	5.8	5.9	6.3
6	3.6	3.8	4.0	4.3	4.5	4.9	5.4	5.6	6.1	6.3	6.6
7	3.8	4.1	4.2	4.5	4.8	5.2	5.6	5.9	6.4	6.5	6.9
8	4.0	4.3	4.4	4.7	5.0	5.4	5.9	6.2	6.6	6.8	7.2
9	4.2	4.4	4.6	4.9	5.2	5.6	6.1	6.4	6.9	7.1	7.4
10	4.4	4.6	4.8	5.1	5.4	5.8	6.3	6.6	7.1	7.3	7.7
11	4.5	4.8	4.9	5.3	5.6	6.0	6.5	6.8	7.3	7.5	7.9
12	4.7	4.9	5.1	5.5	5.7	6.2	6.7	7.0	7.5	7.7	8.1
13	4.8	5.1	5.2	5.6	5.9	6.4	6.9	7.2	7.7	7.9	8.3

여아 연령별 체중(kg) 백분위수 (0-13 주) (0-3 개월)

여아	백분위수										
주	1	3	5	15	25	50	75	85	95	97	99
0	2.3	2.4	2.5	2.8	2.9	3.2	3.6	3.7	4.0	4.2	4.4
1	2.3	2.5	2.6	2.9	3.0	3.3	3.7	3.9	4.2	4.4	4.6
2	2.5	2.7	2.8	3.1	3.2	3.6	3.9	4.1	4.5	4.6	4.9
3	2.7	2.9	3.0	3.3	3.5	3.8	4.2	4.4	4.8	5.0	5.3
4	2.9	3.1	3.3	3.5	3.7	4.1	4.5	4.7	5.1	5.3	5.6
5	3.1	3.3	3.5	3.8	4.0	4.3	4.8	5.0	5.4	5.6	5.9
6	3.3	3.5	3.7	4.0	4.2	4.6	5.0	5.3	5.7	5.9	6.2
7	3.5	3.7	3.8	4.2	4.4	4.8	5.2	5.5	5.9	6.1	6.5
8	3.7	3.9	4.0	4.4	4.6	5.0	5.5	5.7	6.2	6.4	6.7
9	3.8	4.1	4.2	4.5	4.7	5.2	5.7	5.9	6.4	6.6	7.0
10	4.0	4.2	4.3	4.7	4.9	5.4	5.8	6.1	6.6	6.8	7.2
11	4.1	4.3	4.5	4.8	5.1	5.5	6.0	6.3	6.8	7.0	7.4
12	4.2	4.5	4.6	5.0	5.2	5.7	6.2	6.5	7.0	7.2	7.6
13	4.3	4.6	4.7	5.1	5.4	5.8	6.4	6.7	7.2	7.4	7.8

세계보건기구 http://www.who.int/childgrowth　　대한모유수유의사회 http://www.bfmed.co.kr

◆ **내아기 성장은 태어날 때(0주) 체중을 기준으로 세로로 확인한다.**

내 아기의 성장 기준은 태어났을 때의 **(0주) 체중**으로 삼아야 한다.
앞 [20006년 세계보건기구 어린이 성장 기준] 표에 색펜으로 표시된 것처럼 세로로 확인한다.

이 두 남아는 태어날 때부터 2.3kg의 차이가 났고, 12주 뒤 3.4kg의 차이를 보인다. 2.3kg으로 태어난 아기는 체중이 2.4kg 증가한 반면, 4.6kg으로 태어난 아기는 3.5kg이 증가한 것이다. 이는 당연한 결과치 아니겠는가. 표 아래 여아도 남아와 비슷한 경향을 보인다.

'내 아기에게 잘 먹이고 있나?'
'내 아기는 왜 조금만 클까?'

주 수나 월수로만 묻고 남의 아기와 비교하며 위와 같이 고민한다.
내 아기 태어났을 때의 몸무게를 보고 잘 크고 있는지 확인하면 되는 것이다.

'WHO 성장 기준표'를 화살표 방향(**세로**)으로 보면 아기는 태어나서부터 일주일에 100~400g씩 몸무게가 늘어나는 것을 볼 수 있다. 이렇게 자라는 것은 엄마·아빠가 잘 먹이고 있고, 아기가 잘 자라고 있다는 것을 증명한다.

다음에 나오는 성장 기준표에 **빨간 네모 칸**을 보고, 남아가 4.2kg으로 태어났다면, 또 여아가 2.5kg으로 태어났다면 한주씩 따라 내려가면서 확인하고, 내 아기의 성장속도를 참고하면 된다.

신생아•소아 예방접종표

아기의 예방접종은 건강과 안전을 위해 중요한 역할을 한다. 특히 신생아는 면역력이 약하고 감염에 취약한 상태이기 때문에 예방접종은 감염병으로부터 보호하는 수단이며, 질병관리본부 및 보건 당국에서 공식적으로 권장하고 있다.

[국가예방접종-질병관리본주 제공]

나 이	예방접종종류	참고사항
0~4주	결핵 (BCG)	생후 4주 이내 접종
0~6개월	B형간염	3회 접종 (0, 1, 6개월)
2개월~만12세	디프테리아, 파상풍, 백일해 (DPT)	3회 접종 (2, 4, 6개월), 추가 (15~18, 만4~6세, 만11~12세)
2~15개월	뇌수막염 (Hib)	3회 접종 (2, 4, 6개월), 추가접종 (12~15개월)
2개월~만6세	소아마비 (폴리오)	3회 접종 (2, 4, 6개월), 추가접종 (만 4~6세)
2~59개월	폐렴구균 (단백결합백신10,13가)	3회 접종 (2, 4, 6개월), 추가접종 (12~15개월)
12개월~만6세	홍역, 볼거리, 풍진 (MMR)	2회 접종 (12~15개월, 만4~6세)
12~15개월	수두	1회 접종 (12~15개월)
12개월~만12세	일본뇌염 (생백신)	3회 접종 (12~36개월), 추가접종 (만6세, 12세)
6개월~만12세	인플루엔자	우선접종권장 대상자
24개월~만12세	장티푸스	고위험에 한하여 접종

자녀를 영재로 키운
전직 산후관리사가 전하는

육아 실전수업 및 꿀팁

육아도 아는 만큼 쉬워진다.
'울음은 아기의 첫 언어이다.'

Chapter 3

•

엄마의 유연성과 융통성

✦✦ 기저귀 종류와 기저귀 교체시기

✦✦ 기저귀 발진과 대처법

✦✦ 노리개젖꼭지 사용에 관하여

✦✦ 코딱지 빼주기와 손발톱 깎아 주기

✦✦ 신생아에게 하면 좋은 행동과 금지 행동

✦✦ 영아 및 소아 심폐소생술

기저귀의 종류와 기저귀 교체하기

아기의 돌봄과 관리는 부모들에게 매우 중요한 책임이다. 그중에서도 아기의 위생을 유지하는 것은 건강과 편안함을 보장하기 위한 핵심적인 요소다.

아기 기저귀는 신생아와 영유아들이 배변할 때 사용되는 것으로 없어서는 안 되는 필수적인 아이템이다. 기저귀를 착용하면서 아기는 오히려 편안하게 느낄 수 있고, 부모들은 소중한 자녀의 배변 활동에 안심할 수 있다.

첫째로, 기저귀는 아기의 피부를 보호하는 역할을 한다. 배변물과 함께 발생하는 습기와 자극으로부터 아기의 민감한 피부를 보호하여 발진이나 가려움증 등의 문제를 예방한다. 좋은 품질의 기저귀는 통풍성 기능까지 갖추고 있어 피부 건강을 유지하는 역할을 한다.

둘째로, 기저귀는 활동성과 원활한 일상생활에 도움을 준다. 장시간 착용되어도 적당한 흡수력과 방수성으로 인해 신체 건조함을 유지해 준다. 이로써 아기가 웃고 자유롭게 움직일 때도 부담 없이 활동할 수 있다.

마지막으로, 기저귀는 부모들에게 시간적인 유연성과 안정감을 제공한다. 배변장소 변화나 외출 시에도 깨끗하고 안전한 상태를 유지할 수 있다. 이러한 점은 부모들이 일상생활에서 더욱 여유롭게 활동하며 아이와 함께 소중한 순간들을 만날 수 있도록 도와준다.

아기 기저귀는 양육 과정에서 필수적인 요소로서 중요성이 크다. 아기들은 태어난 후 2~3년 동안은 기저귀를 착용하게 된다. 기저귀도 소재별, 기능별, 단계별, 가격 등이 다양하다. 사랑하는 아기에게 알맞게 선택한다.

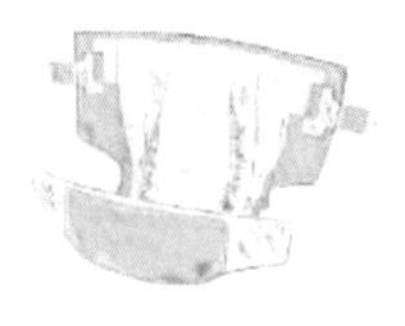 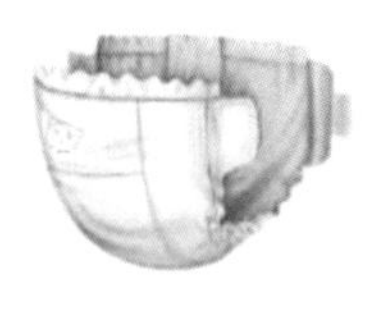 

1. 아기 기저귀의 종류

기저귀는 아기의 나이, 체형, 활동 수준 등에 따라 선택할 수 있다. 가장 흔히 사용되는 일회용 기저귀, 재사용 가능한 천 기저귀, 수영할 때 사용하는 전문적인 유형의 수영용 기저귀, 외부에 옷감을 입힌 옷감 형식 기저귀도 있다.

1) 종이 기저귀(일회용)

• 장점- 제품에 따라 다르나 흡수력이 좋고 편리하다.
• 단점- 경제적으로 부담이 되며, 쓰레기로 인한 환경오염을 일으킨다. 아기피부와 맞지 않을 경우 기저귀 발진이 생길 수 있다.

2) 천 기저귀

• 장점- 소변이 잘 흡수되고 바람이 잘 통한다.
- 소재가 순하여 기저귀 발진 등 피부 문제가 적다.
- 세탁해서 쓸 수 있으므로 경제적 부담을 줄일 수 있다.

• 단점- 세제남용으로 인한 수질오염을 일으킨다.
- 외출 시 사용하는 데 어려움이 있다.

• 세탁방법- 대변을 본 경우에는 기저귀에 묻은 변을 털어 낸 후 물속에 잠시 담가 두었다가 비누로 빤 다음 삶아서 사용한다.

3) 테이프형 vs 팬티형

종이기저귀는 테이프형과 팬티형으로 구분할 수 있다. 테이프형은 신생아용으로 많이 쓰이는 기저귀이고, 팬티형은 걸음마를 시작하여 활동성이 급증한 아기에게 많이 쓰이는 기저귀다.

4) 남아용 vs 여아용

아기 기저귀도 남아용과 여아용으로 구분되며, 자녀의 성별에 맞게 구매하여 아기가 편안하게 착용할 수 있도록 하는 것이 좋다.

2. 단계별 아기 체중범위

체중에 따라 기저귀를 선택할 때 딱 맞는 것보다 약간 여유를 두고 교체하는 것이 아기가 착용할 때 편안함을 느낀다.

- 1단계(신생아) : 3~4.5kg의 신생아
- 2단계(소형) : 4~8kg 체중의 아기
- 3단계(중형) : 7~11kg 체중의 아기
- 4단계(대형) : 10~14kg 체중의 아기
- 5단계(특대형) : 12~16kg 체중의 아기

양마마의 꿀팁 !

♠ 출생 후 한 달이 지나면 신생아는 1~1.2kg이나 자랍니다. 3kg에 태어난 아기라면 한 달 만에 4kg이 넘지요. 요즘 대부분의 산모가 2~4주 정도 산후조리원에서 조리하고 집에 오면 아기는 훌쩍 자라있어요. 그러므로 1단계를 많이 사 놓으면 작아서 쓰지 못하게 된답니다.

3. 기저귀 갈기

아기가 울 때 먼저 기저귀가 젖었는지 확인해 봐야 한다. 기저귀가 젖으면 아기는 불쾌감 때문에 운다.

아기가 소변을 보면 천기저귀는 젖어있는 것을 보고 알 수 있고, 종이기저귀는 겉에 그림의 색이 파란색으로 변하거나 사라진 것으로 알 수 있다.

① "쉬했구나. 기저귀 갈아줄게."라고 말하고, 아기를 편안하게 눕힌다.
② 새 기저귀와 물티슈를 옆에 준비해 두고, 속싸개나 바지를 벗긴다.
③ 젖은 기저귀를 벗기고 뒤처리를 깨끗이 한다.
④ 새 기저귀를 깔고 발진이 생기지 않도록 잠시 열어 준 후 채운다.
⑤ 벗겼던 속싸개를 싸주거나 바지를 입힌다.
⑥ 탯줄이 떨어지기 전에는 통풍을 위해 배꼽을 기저귀로 덮히지 않게 한다.
⑦ 기저귀를 갈 때 사타구니나 엉덩이에 발진이 생기지 않았는지 잘 살핀다.
⑧ 대변은 가제수건이나 물티슈로 꼼꼼히 닦아주거나 따뜻한 물로 씻어준다.

- 남아는 음경 위쪽과 음경 뒤, 음낭, 귀두를 잘 닦아준다.
- 여아는 앞에서 뒤쪽으로 닦아 요도로 균이 들어가지 않게 한다.

⑨ 탯줄소독은 하루 2~3회(아침, 점심, 저녁) 정도 해준다.
(탯줄을 잘 관리하지 않으면 육아종이나 염증이 생길 수 있다)

양마마의 꿀팁 !

♠ 기저귀를 너무 자주 갈아주면 예민한 아기가 될 수 있다고 합니다. 대변은 즉각 갈아줘야 하지만, 발진이 잘 생기지 않는 아기라면 소변을 보고 우는 것은 뜨거워서 하는 반응일 수 있으므로 한쪽을 살짝 열어서 식힌 후 다시 채워주면 언제 그랬냐는 듯 다시 스르르 잠이 들거나 잘 놉니다.
하루에 한 장만 아껴도 한 달이면 30장이네요.

4. 출생 직후 수유량과 대/소변 횟수

출생 후 수유량과 대소변 횟수는 아기의 건강 상태와 영양 섭취에 관련된 중요한 지표이다. 일반적으로 수유량이 증가하면 대소변 횟수도 증가하는 경향이 있다. 아기의 건강과 직결되는 수유량과 대소변 횟수를 잘 살펴봐야 한다.

생후 0~4주 사이의 신생아는 하루에 6번 이상의 소변을 볼 수 있으며, 3~4시간마다 한 번씩 배설하게 된다. 이때, 아기에게 하루에 약 6~8회 정도의 수유를 권장한다.

아기가 커가면서 소변 횟수도 줄고, 이에 따라 배설 주기도 길어진다. 대/소변 횟수는 개개인과 상황에 따라 다를 수 있으며, 아기마다 개인적인 성장 패턴을 가지고 있을 것이다.

부모들은 아기의 발달과 건강 상태를 주시하고, 이상 소견이 보일 경우 의료 전문가와 상담하여 적절한 영양 공급 및 배설 패턴을 확인하는 것이 중요하다.

◆ 출생 직후 수유량과 대소변 횟수

구 분	하루 동안 먹는 양	소변 횟수	대변 횟수
출생첫날	10~100cc	1회 30~60cc기준	1회100원 동전크기
생후 2일	10~120cc	2회	2회
3일	200cc	3회	2회
4일	400cc	4회	3회
5일	600cc	5회	3회
6일	700~800cc	6회	4회
7일	700~800cc	6~8회	4~12회
8일	700~800cc	6~8회	4~12회

위 표의 내용과 같이 생후 8일부터는 생후 7일과 같은 비슷한 양상을 보인다. 신생아의 경우 소변은 1회 30~60cc 정도가 기준이고, 대변은 100원짜리 동전 크기 정도 이상이면 1회로 친다.

분유보다 모유를 먹는 아기는 기저귀마다 변이 묻어 나오기도 한다. 이는 일반적인 증상이므로 걱정하지 않아도 된다.

아기가 잘 크는지를 알려면 매주 일정하게 늘어나는 몸무게를 확인해야 하고, 잘 먹고 잘 싸는지를 확인해 봐야 한다. 육아는 관심과 사랑이다.

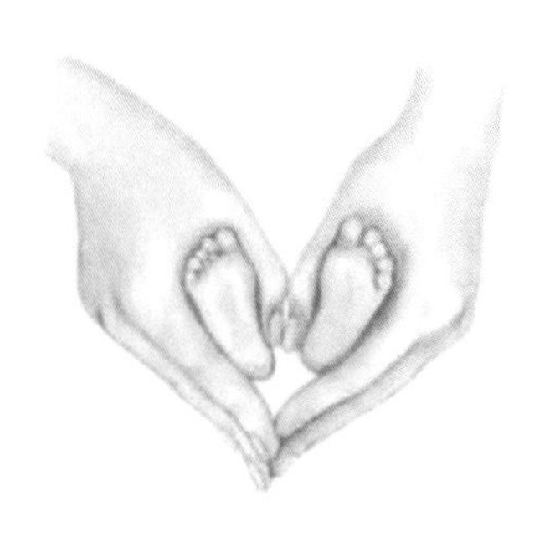

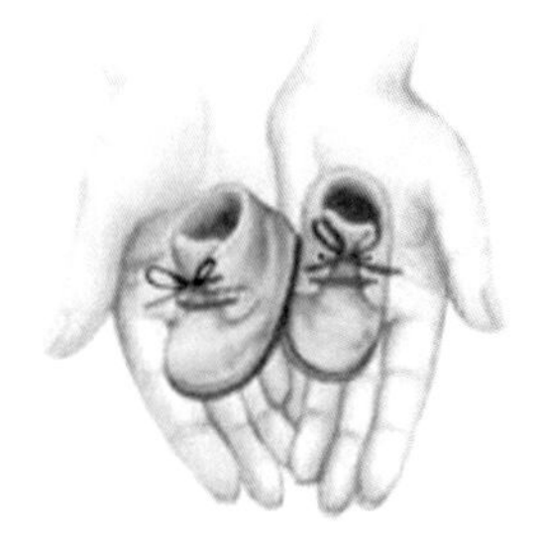

기저귀 발진과 대처법

기저귀 발진을 기저귀 접촉 피부염이라 하며, 영유아기 아기에게서 가장 흔하게 발생한다. 기저귀 피부염의 빈번한 세 가지 유형은 마찰 피부염과 자극성 접촉 피부염, 기저귀 칸디다증이다.

아기의 피부 문제가 발생했을 때 부모에게는 큰 걱정거리가 된다. 특히 기저귀 착용으로 인해 발생하는 발진은 빨리 갈아주지 않아 생긴 거 아닌가 하는 생각마저 들면서 아기에게 미안해지기도 한다.

아기의 피부는 기저귀 착용으로 자극을 받으면 기저귀 발진으로 이어질 수도 있다. 민감한 아기 피부는 습기와 마찰로 인해 따끔거리고 붉어지며, 가려움증과 염증이 동반될 수 있다. 이러한 증상은 아기의 편안함을 해칠 뿐만 아니라 엄마·아빠에게도 적잖은 심리적인 부담을 주는 요소가 된다.

기저귀 발진은 여러 요인에 의해 유발된다. 첫째, 습도와 접촉 자체가 아기의 피부를 자극할 수 있다. 배변에서 생성되는 습기와 배설물이 함께 작용하여 피부를 손상시키기도 한다. 둘째, 기저귀와 피부 사이에 마찰로 장시간 착용으로 인해 발생할 수 있다. 셋째, 알레르기 반응이나 성분에 민감한 아기일 경우 화학물질이나 첨가물에 반응하여 발진을 유발할 수도 있다.

아기의 기저귀 발진은 예방과 관리가 중요하다. 적시에 기저귀를 갈아주고, 깨끗하고 건조한 상태 유지, 적합한 크기와 재질 선택 등이 필요하다. 추가로 안전하고 자연성분을 포함하는 보습제 제품 등을 발라도 도움 될 수 있다.

아기의 건강한 성장을 위해 엄마아빠가 귀 기울여 준다면 그만큼 아기는 웃으며 자라날 수 있고, 부모도 역시 안심하고 사랑과 보살핌을 전할 수 있다.

1. 기저귀 발진의 원인과 증상

1) **원인**

① 대소변으로 인한 자극 : 대소변에 장기간 노출되면 아기의 민감한 피부를 자극할 수 있다. 대변이 소변보다 더 자극적이며 잦은 배변

이나 설사하는 경우 발생할 수 있다. 또 소변의 암모니아 등 피부 자극 물질이 피부에 자극을 일으켜 피부를 붉게 만들 수 있다.

② 처음 접하는 물건으로 인한 자극 : 아기용 물티슈나 일회용 기저귀에도 자극받아 피부염이 발생할 수 있다. 세제, 표백제, 섬유유연제, 베이비로션, 파우더, 오일에 대해서도 피부염이 발생할 수도 있다.

③ 세균, 진균 감염 : 기저귀 덮인 부위는 따뜻하고 습하여 균이 자라기 적합하다.

④ 새로운 식품 : 아기가 모유를 먹을 때 엄마가 먹는 음식에 따라 반응하며, 아기의 식단이 바뀌면 변의 빈도가 증가하여 기저귀 발진이 발생할 수도 있다.

⑤ 민감한 피부 : 아토피나 지루성 피부염 같은 피부질환이 있는 아기는 기저귀발진이 동반될 가능성이 높다.

⑥ 항생제 사용 : 아기나 산모가 항생제를 복용하면 기저귀 발진의 위험이 높다.

2) **증상** : 기저귀 발진이 생기면 기저귀를 찬 부위의 피부가 붉어지면서 거칠어지고 심하면 진물이 생기고 헐기도 하며 더 심해지면 고름이 잡히기도 한다. 기저귀 발진이 생긴 부위에 곰팡이가 자라게 되면 잘 낫지 않고 오래가며 증상이 더 심해진다. 이때 아기는 아파서 보채며 힘들어하고 심한 경우 손만 대도 울어댄다. 초기에 기저귀 발진을 잘 관리하면 며칠 만에 좋아지지만 방치하면 한 달 이상 지속되는 경우도 있다.

2. 기저귀 발진의 대처법 및 주의 사항

1) **대처방법** : 기저귀 발진이 생기면 가장 좋은 방법은 기저귀를 채우지 않는 것이다. 이건 조금씩 자주 대소변을 보는 신생아에겐 쉬운 일이 아니다. 기저귀 발진이 심한 경우에 다소 불편하더라도 엉덩이를 자주 벗겨 두는 것이 더 빨리 낫게 한다.
이외 기저귀를 자주 갈아주고, 변을 봤을 때 씻기고 잘 말려주며, 발진연고를 발라준다.

2) **주의사항** : 농가진에 연고를 발라 병을 악화시키는 경우도 있고, 다른 원인에 기저귀발진 연고를 잘못 바른 경우도 있으니 연고를 함부로 바르지 말아야 한다. 특히 기저귀발진 연고 위에 분을 뿌리게 되면 피부가 숨을 쉬지 못해 더 심해지고 낫지 않게 되므로 주의해

야 한다. 땀이나 오줌에 범벅이 된 파우더가 아기의 피부에 붙어있으면 절대 안 된다.

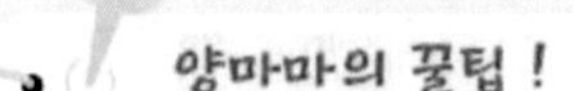

♠ 연고를 너무 많이 바르면 2차 감염이 될 수 있으니 적당량을 가볍게 발라줍니다. 또 발진이 잘 생기는 아기가 대변을 눈 상태로 잠들어버려서 늦게 알아차렸다면 기저귀 발진이 생기지 않았더라도 미리 연고를 발라 예방하는 것도 한 가지 방법이라 하겠습니다.

3. 기저귀 발진의 예방법

기저귀 발진을 예방하는 것은 기저귀를 제때 갈아주는 것이다.

- 피부가 예민한 아기는 기저귀를 바로 갈아준다.
- 많이 젖었거나 대변본 지 오래됐을 때 따뜻한 물로 씻어준다.
- 알코올이나 향이 있는 물티슈를 사용하지 않는다.
- 연약한 아기 엉덩이를 세게 문지르지 않는다.
- 기저귀 부위의 공기흐름을 위해 기저귀를 과도하게 조이지 말아야 한다.
- 기저귀를 갈아줄 때 기저귀를 바로 채우지 말고 잠시 피부를 건조시킨다.

노리개젖꼭지(쪽쪽이) 사용에 관하여

아기가 대책 없이 울 때는 초보엄마아빠는 뭘 어떻게 해줘야 할지, 어디가 아픈지 몹시 불안하다. 기저귀도 갈아줬고, 젖도 먹인 지 얼마 안됐고, 안고 달래주는데도 계속 찡얼거릴 땐 엄마아빠도 울고 싶다. 이때 매번 엄마젖을 물릴 수 없으니 노리개젖꼭지를 사용하면 아기의 울음을 그치게 할 수도 있다.

아기 돌봄에 있어 노리개젖꼭지를 많은 부모가 활용한다. 요즘 시중에 나오는 노리개젖꼭지는 아기 입안에 잘 맞게 디자인되어 있어 입안에 넣고 편안하게 유지할 수 있다. 이를 통해 아기의 자연스러운 입 모양과 턱 발달을 지원하기도 하며, 구강 근육 발달에도 도움이 될 수 있다.

노리개젖꼭지는 다양한 크기와 모양으로 만들어져 나온다. 따라서 부모님들은 아기의 성장 단계와 개별적인 필요에 맞게 선택할 수 있다. 나이와 발육 단계에 따라 선택하면 된다.

아기마다 개별적인 선호도가 다를 수 있다. 어떤 아기는 일반 원형 젖꼭지를, 어떤 아기는 원형보다 납작한 형태의 젖꼭지를, 또는 큰 것을 선호하거나 작은 것을 더 잘 받아들이는 경우도 있다. 이는 입안 구조와 관련이 있다 하겠다.

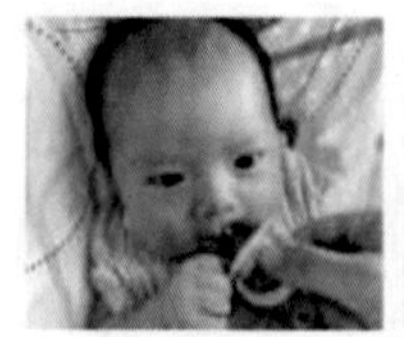

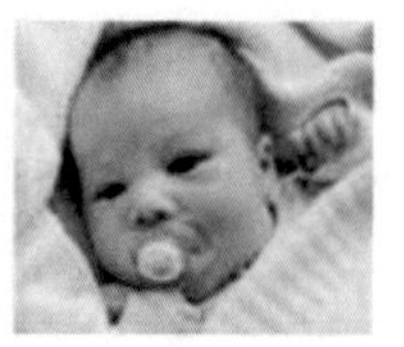

노리개 젖꼭지 사용 여부, 최종 결정은 주 양육자인 부모가 결정해야 한다. 그리고 아기의 개별적인 상황과 형태의 선호도에 따라 결정되어야 한다. 이건 선택할 가치가 있는 옵션이며, 아기의 안전과 편안함을 최우선으로 고려한 경우다.

'노리개젖꼭지 빠는 것은 부모들의 걱정과는 달리 아기에게 의학적·심리적인 문제를 일으키는 경우는 별로 없다. 6살 이전에 사용을 그만둔다면 뻐드렁니 같은 치아발달의 문제도 생기지 않는다. 오히려 적절하게 사용한다면 육아에 큰 도움이 된다.'라는 견해를 내놓았다.

어떤 경우에도 선택은 부모 몫이며, 아기의 개별적인 선호도를 존중해야 하고, 아기 상황에 맞게 유연성과 융통성을 갖고 아기에게 제공되어야 한다. 부모는 아기를 신중하게 관찰하고, 익숙해질 때까지 입에 무는 것을 도와주고, 조금씩 시도하는 것이 좋다.

1. 노리개젖꼭지의 장점

① 빨려는 욕구 충족, 빠는 본능(0~3개월)을 해소 시킨다.

② 식욕이 과할 때 조절해 주는 역할을 한다.

③ 정서적 안정감을 주며, 불안이 해소되어 배앓이, 영아산통도 경감시킨다.

④ 수유간격을 조절하여 아기의 배꼬리를 늘리는 데 도움이 된다.

⑤ 배부르게 먹이고, 통잠을 재우는 데 큰 역할을 한다.

⑥ 손가락 빠는 것을 줄인다. (손가락은 입학해서도 빤다.)

⑦ 영아돌연사를 줄일 수 있다는 의학적 데이터가 나오면서 노리개젖꼭지 사용에 대한 긍정적 견해가 많다.

2. 노리개젖꼭지 사용 시 주의 사항

① 배고파 우는 아이에게 식사대용으로 사용하면 **절대** 안 된다.

② 말(언어)을 배울 시기에 필요 이상으로 입을 막아두지 말아야 한다.

③ 최대 6개월까지 사용, 자주 씻고 소독해서 입에 물려준다.

④ 빈 우유병 꼭지를 노리개젖꼭지 대용으로 사용하면 공기를 마셔 속이 불편할 수 있다.

⑤ 젖꼭지 줄에 목이 졸릴 수도 있으니 주의해야 한다.

양마마의 꿀팁 !

♠ 수유한 지 얼마 안 되는데 계속 칭얼거릴 때, 수유 간격을 늘려주기 위해 쪽쪽이를 물려주게 되는데, 아기는 빨려 하지 않는 듯 보일 겁니다. 이때 부모는 쪽쪽이를 계속 물려야 할지, 그냥 수유해야 할지 판단하기 어렵죠.

판단 기준은 그냥 찡찡댈 때는 계속 쪽쪽이로 시간을 끌어 주고, 입을 오물거리며, 엄마 젖가슴 쪽으로 고개를 파고들며 막무가내 (살겠다는 강한 생존본능을 보임) 큰 소리로 울어 댈 때는 곧바로 수유 하시면 됩니다.

◆ 노리개젖꼭지의 남용

노리개젖꼭지를 사용할 때 분명한 선을 둬야한다. 무턱대고 계속 빨도록 하는 것은 노리개젖꼭지에 의지하게 만들고, 이것이 없으면 잠을 잘 수 없게 된다. 식욕이 과해 수유간격을 늘려줘야 할 때나 잠투정이 심한 아기를 재워야 할 때 잠시 사용해야 한다. 아기가 잠이 들었는데도 계속 입에 물고 있으면 오히려 깊은 잠을 자지 못하니 아기 스스로 뱉지 않으면 엄마가 살짝 빼줘야 한다.

3. 노리개젖꼭지 떼는 법

① 빨려는 욕구가 강한 아기는 신생아 때부터 노리개젖꼭지를 계속 찾는다. 6~7개월쯤 지나 어느 정도 욕구가 충족됐다 싶으면 삶은 당근, 사과 등을 막대처럼 만들어 대신 빨게 해주어 노리개젖꼭지를 잊게 해준다. (최대 1년 이전에 떼지 않으면 꽤 오래가게 될 수도 있다.)

② 부모가 장난감을 이용하여 지루하지 않게 놀아줌으로써 노리개젖꼭지를 찾지 않게 된다.

③ 걷는 아이라면 밖에 데리고 나가 신나게 뛰어놀게 한다.

④ 노리개젖꼭지를 물릴지 말지? 이 결정은 주 양육자인 부모가 해야 한다. 아이마다 성장 속도가 다르고, 개성도 다르고, 욕구도 다 다르다. 아이를 잘 파악해서 행복한 육아가 될 수 있도록 항상 노력(공부)하는 엄마아빠가 되어야 한다.

양마마의 꿀팁 !

♠ 빠는 욕구가 강한 시기인 신생아 때 노리개젖꼭지(쪽쪽이)를 아기 입에 물리는 것을 죄라도 짓는 것처럼 아주 미안해하는 부모가 정작 입을 막으면 안 되는 중요한 시기인 말을 배울 때는 편하다는 이유로 떼 주려는 노력을 아주 게을리합니다.
늦게까지 무는 쪽쪽이는 옹알이와 말을 막을 수 있습니다.

신생아가 처음 접하는 쪽쪽이를 단번에 잘 무는 아기도 있지만 어떻게 빨아야 할지 몰라 하는 아기가 더 많아요. 이때 엄마 아빠가 한 손으로는 우는 아기를 안고 달래며, 다른 손으로는 쪽쪽이를 잘 잡아주면 금세 터득하게 됩니다.

4. 노리개젖꼭지 종류와 소독 및 사용기간

• 종류

① **천연고무**-촉감이 엄마의 가슴과 가장 비슷하다.
쪽쪽이 거부하는 아기에게 추천
(100% 천연고무는 세균번식과 곰팡이 생성을 방지)

② **실리콘**-모든 소독이 가능하며, 세척과 관리가 편리하다.

• **소독**

천연고무는 열탕소독만 가능하나, 실리콘은 열탕소독, UV/LED소독기, 스팀소독이 다 가능(아구창을 일으키는 칸다디균은 습도가 많은 곳 실온에서 발생하므로 소독을 자주 하여 사용해야 한다)

• **교체**

천연고무는 단독 사용 6주, 여러 개 사용 2~3개월, 실리콘은 개수 상관없이 2~3개월마다 교체해 주기를 권장한다.

5. 노리개젖꼭지 비교

제품 선택은 부모가 한다.

천연고무	실리콘
천연고무+기름성분 산화방지제	실리콘 100%
표면 흰색가루 도포	표면 이물질 제로
고무냄새	무색무취
끓는 물 부어 5분 담가 소독	UV/열탕/스팀소독 모두 가능
고무가 끈적임	끈적임 없음
약한 내구성 (실리콘보다 말랑)	강한 내구성 (고무보다 딱딱)
아이 치아에 잘릴 수 있음	쉽게 끊어지지 않음
내부가 잘 보이지 않음	내부가 잘 보임

◆ 기타

노리개젖꼭지(쪽쪽이) 세척 시 내부에 물이 스미는 것은 자연스러운 현상이다. 위로 세워 강하게 여러 번 펌프질하여 물기를 제거해 주면 된다.

쪽쪽이는 엄마의 가슴이 변하지 않는 것처럼 단계 구분 없이 사용이 가능하기도 하지만, 아기의 구강구조나 빨 때 편안해하는 것으로 고르는 것이 좋다.

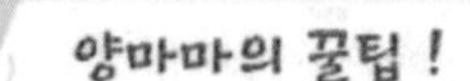

양마마의 꿀팁 !

♠ 소화가 잘되는 모유와는 달리 분유는 소화 시간 관계없이 아기가 달라는 대로 막 주면 속이 더부룩해지고, 배가 꽉 차서 기저귀마다 변을 누게 됩니다. 이로 인해 아기 엉덩이가 헐고, 기저귀 발진도 발생할 수 있지요. 또 더부룩한 속 때문에 깊은 잠을 자지 못하고 칭얼대며, 아기의 배꼬리도 늘리지 못하는 상황이 됩니다. 이 같은 일들이 악순환으로 계속 반복될 수 있으므로 쪽쪽이를 사용하느냐의 현명한 선택이 요구된다고 하겠습니다.

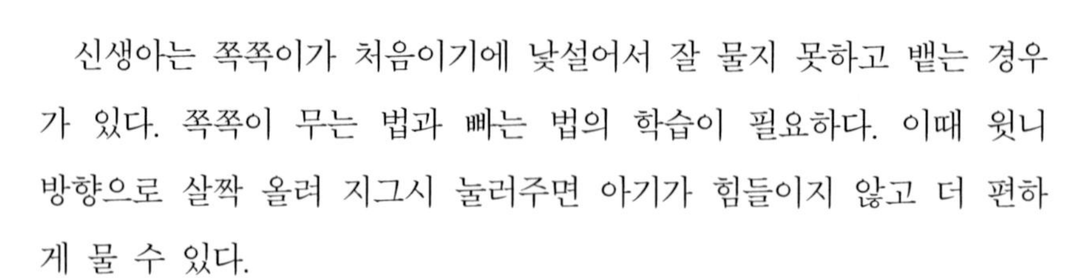

신생아는 쪽쪽이가 처음이기에 낯설어서 잘 물지 못하고 뱉는 경우가 있다. 쪽쪽이 무는 법과 빠는 법의 학습이 필요하다. 이때 윗니 방향으로 살짝 올려 지그시 눌러주면 아기가 힘들이지 않고 더 편하게 물 수 있다.

또 엄마가 아기에게 젖 물리듯 안고 쪽쪽이를 입에 물린 후 가슴으로 지그시 누르며 잡아주면, 아기가 젖을 문 것처럼 차츰 뱉지 않고 잘 빨 수 있게 된다.

양마마의 꿀팁 !

♠ 어른들의 생각과 달리 신생아들은 자기주장이 무척 강해요. 누구의 눈치를 보지 않아선지 싫으면 싫다는 표정과 반응을 바로 보입니다. 젖이 먹기 싫으면 혀로 내밀지요. 그래도 계속 주면 너무나 귀엽게도 아예 입을 꾹 다물어 버립니다. 사랑스럽지요. 쪽쪽이의 맛을 모르는 처음은 생소해서 싫은 표정을 짓지만, 잘 빨고 좋아하던 쪽쪽이도 본인이 싫으면 뱉어 버립니다.

아기들은 모를 거라는 어른들의 생각을 접어야 합니다.

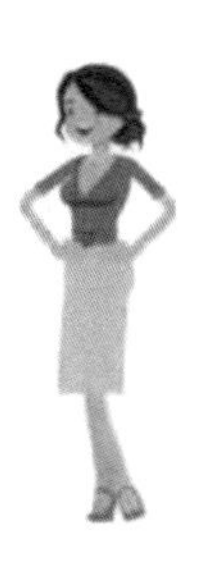

코딱지 빼주기와 손발톱 깎아주기

신생아 코딱지는 태어난 직후부터 나타나고, 아기가 자라면서 발생하는 자연스러운 현상이다. 아기가 태어나고 외부 환경과 접촉하면서 먼지, 세균 및 다른 자극 요소들이 코 주위에 축적될 수 있다. 대개 신생아 코딱지는 자연스럽게 사라진다. 때로 그렇지 않은 경우 엄마·아빠가 해결해 주거나 특수한 경우 의료 전문가와 상담하여 추가적인 조치 및 치료를 받아야 한다.

일반적으로 부모가 할 수 있는 조치로는 목욕 후나 보습이 충분한 경우 조심스럽게 제거해 주는 것이며, 가능한 한 손으로 딱지를 긁거나 억지로 떼는 행위는 하지 말아야 한다. 이건 피부 손상을 가져올 수 있고 감염 위험이 생길 수 있다. 아주 신경 쓰일 정도로 건조한 경우에는 의사 또는 약사와 상담 후 안전하고 식용 가능한 보습제를 사용한다.

1. 코딱지 빼주기

아기가 코가 막혀 숨 쉬는 것을 힘들어하고, 젖도 제대로 먹지 못하고 울면 엄마는 안타까운 마음이 든다. 이때 면봉으로 바로 빼면 약한 신생아는 코점막이 자극되어 아프고 염증이 생길 수 있다.

1) 준비물

- 생리식염수: 20ml, 작은 용기에 담겨 약국에서 판다.
- 약통(시럽통): 100원 안팎으로 약국 약사님께 부탁하여 구비한다.
- 면봉: 소독이 잘된 것으로 준비한다.
- 화장지

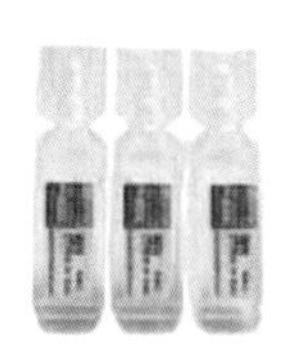

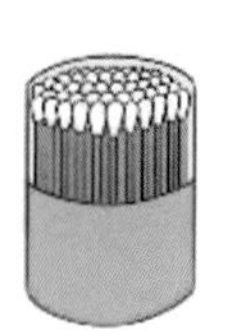

양마마의 꿀팁 !

♠ 코딱지 파주는 일이 일상이 되기도 합니다. 이럴 때마다 아기가 힘들고 놀라지 않게 아기에게 "숨쉬기 힘들고 답답하지? 엄마가 우리ㅇㅇㅇ이 코딱지 파줄 거야,"라고 말하고, 끝나면 "다했어. ㅇㅇㅇ이 참 잘 견뎌줬네. 대견하다."라고 격려와 칭찬의 말들을 해줍니다.

2) 코딱지 꺼내는 순서

① 생리식염수를 조금만 약통에 담는다.
② 아기를 안고 콧구멍 입구에 1~2방울 떨어뜨린다.
③ 아기코를 잡고 살에 붙어있는 코딱지가 떨어질 수 있도록 살살 문질러 준다.
④ ③번 이후 아기가 재채기해서 툭 튀어나오거나, 엄마가 면봉을 짧게 잡고 콧속에 넣어 살살 돌리면서 코딱지를 제거해 준다. 식염수에 불려있고 코를 문질러 분리시켰으므로 쭉 잘 따라 나온다.
⑤ 제거된 코딱지와 면봉을 화장지에 싸서 버린다.
⑥ 놀라고 당황했을 아기를 꼭 안아주고 잘 견뎌준 아기에게 칭찬해 준다.

3) 주의사항

① 잠잘 때는 놀랄 수 있으니 하지 않는 것이 좋다.
② 식염수가 기도로 흡입될 수 있으니 아기의 고개를 젖히거나 많은 양을 넣지 마라. 1~2방울이면 충분하다.
③ 간혹 식염수 대신 엄마젖을 사용하는 경우가 있는데 세균번식의 원인이 된다.
④ 겨울철에는 가습기를 사용하여 습도조절에 신경 써야 한다.

2. 손발톱 깎아주기

신생아의 손발톱은 매우 얇고 부드러우며 빠르게 자라기 때문에 깎아주는 것이 중요하다. 잘못된 손발톱 관리는 아기의 피부를 긁거나 상처를 입힐 수 있으므로 적절히 관리해 줘야 한다.

아기 손톱을 깎아줄 때는 적절한 시간을 잘 선택해야 한다. 아기가 잠든 후나 수유 후와 같이 조용하고 안정된 상황에서 손발톱을 깎아준다. 이렇게 하면 아기가 더 편안하게 있을 수 있다.

아기 손발톱 관리할 때는 적절한 도구를 사용해야 한다. 신생아 전용 손톱깎이, 엣지가 둥근 소형 가위 등을 사용하는 것이 좋다. 이런 도구는 아기의 작고 얇은 손발톱에 적합하게 설계되어 있다.
특히 충분한 조명과 시야를 확보하여 아기의 손발을 명확하게 볼 수 있도록 한다. 가능하면 엄마·아빠가 함께 협력하여 깎아주는 게 좋으며, 필요에 따라 도움 주실 다른 성인이 옆에서 지원해 줄 수 있으면 더 좋다.

아기 손톱은 모서리가 낮은 곡선 형태로 깎는 것이 좋다. 너무 짧게 깎지 않도록 유의하며, 피부 주변에서는 보다 조심스럽게 다루어야 한다. 만약 가장자리가 날카로운 남으면 갈매기 모양으로 부드럽게 잘 정돈해 준다.

아기가 잠들어 있을 때나 잘 놀고 있을 때 신속하고 조심스럽게 깎아주는 것이 중요하다. 이렇게 신생아의 손발톱 관리는 매우 세심함과 주의를 요한다. 초보 엄마·아빠는 처음에 익숙하지 않을 수 있으니 차근차근 연습하여서 익숙해지면 된다. 만약 걱정이 많이 되거나 어려움을 겪는다면 육아 경험자 또는 상담사 등의 지침을 받거나 도움을 받으면 된다.

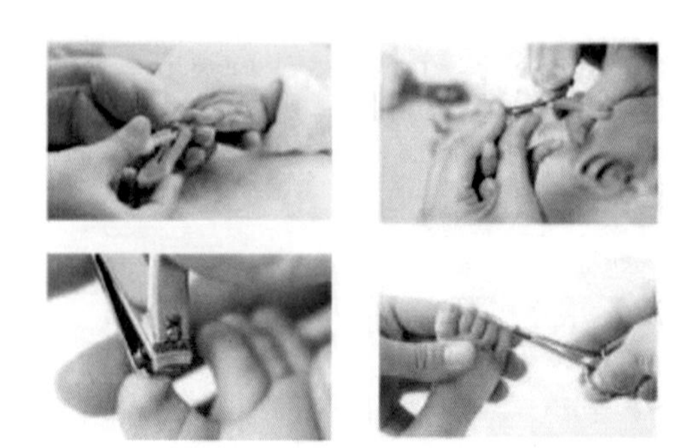

- 면봉이나 거즈에 소독약을 묻혀 아기의 손/발톱과 손톱깎이를 소독한다.
- 손톱은 3~4일에 한 번, 발톱은 2주에 한 번 잘라주면 된다.
- 반드시 아기전용 손톱깎이와 가위를 사용한다.
- 깎을 때 아기의 손/발가락 끝을 엄지와 검지로 잡고 다른 손으로 자른다.
- 손톱은 둥글게, 발톱은 일자로 자르고 날카로운 부분은 다듬는다.

신생아에게 하면 좋은 행동과 금지행동

신생아에게 하면 좋은 행동과 금지 행동은 아기의 안전과 건강을 보호하고, 성장과 발달을 지원하기 위해 매우 중요하다. 특히 신생아는 매우 취약하고 민감한 존재로서 엄마·아빠의 관심과 보살핌이 필요하기 때문이다. 아기의 안전과 편안함을 위해서는 적절한 행동 및 금지 사항을 숙지하고 준수해야 한다.

1. 신생아에게 하면 좋은 행동

- 울면(부르면) 즉각 달려가 주고, 아기의 감정을 헤아려 준다.
- 태명 대신 새로 지은 이름을 "OO야"라고 자주 불러준다.
- "이쁘다"라고 말하며 자주 머리를 쓰다듬어 준다.
- 베이비마사지를 매일 1회씩 해준다.

- 음악(태교음악, 클래식)을 틀어주고, 자장가를 불러준다.
- 그날 상황(날씨, 계절, 풍경, 있었던 일 등)을 이야기 해준다.
- 의성어, 의태어가 많이 들어있는 책을 읽어준다.
- 아기의 두뇌와 언어 발달을 위해 엄마는 수다쟁이가 된다.

  (똑같은 단어를 4번씩 반복해 주면 인지능력이 향상된다고 한다.)

신생아는 자주 먹어야 해서 규칙적이고 충분한 양의 모유나 영양분이 좋은 분유를 제공해 주어야 한다. 신생아의 피부는 매우 민감하기 때문에 기저귀 교체나 정기적으로 목욕을 시키고, 손발톱 깎아주기 등 위생에 신경써 줘야 한다.

아기가 자유롭게 움직일 수 있도록 안전한 장소를 확보해 주고, 침대나 유모차에서 낙상하지 않게 각별히 주의한다. 또 아기와의 상호작용과 스킨십을 하는 것은 강한 애착형성에 중요한 요소이므로 부드럽고 상냥한 말을 건네주고, 안정감 있게 품에 안아주어 아기에 대한 사랑과 관심을 나타내준다.

2. 신생아에게 해선 안 되는 행동

- 아기를 너무 덥게 한다. (계절별 적정온도 확인)
- 떨어지지 않거나 다 아물지 않은 배꼽을 싸매둔다.
- 아기의 젖을 짜주거나 놀라면 기응환을 먹인다.

· 아기가 딸꾹질하면 추워서라 생각해 무조건 모자부터 씌운다.
· 아기가 기침하면 의사진단 없이 약을 먹인다.
· 아기 코가 막히면 무조건 면봉으로 이물질을 제거해 준다.
· 아기의 귀지를 면봉으로 제거한다.

귀지는 아기의 귀를 보호하기 위해 자연적으로 생성되는 것이다. 귀지는 이물질이나 세균이 귀로 들어가는 것을 방지하고, 피부를 보호하는 자연적인 방어 기능 역할을 한다.

인위적으로 아기의 귀지를 제거하려고 하면 귀에 있는 피부가 매우 얇고 민감하기 때문에 피부 손상의 위험이 있다. 귀 주변을 부드럽게 닦아주고는 정도의 청결을 유지하는 것이 더 좋은 방법이다.

손이나 다른 도구로 강제로 귀 안의 귀지를 제거하면 오히려 이물질을 밀어 넣을 수 있으며 세균 감염의 위험이 증가할 수 있다. 잘못된 방법으로 아기의 귓속에 접근하면 이마나 혓바닥 등에서 압력이 전달될 수 있으며 청력 손상을 일으킬 수도 있다고 한다. 따라서 신생아와 유아의 경우에는 귀지가 자연스러운 상태로 빠져나오도록 두고 주기적으로 귀 주변 청결을 유지해 주면 좋다.

3. 절대금지 행동

- 불 또는 화기 있는 곳에 아기를 데리고 가까이 가지 않는다.
- 목욕탕처럼 미끄럽고 습한 곳에서 아기를 목욕시키지 않는다.
- 아기를 안은 상태에서 다른 작업을 하지 않는다.
- 아기를 업어놓고 눈을 떼지 않는다.
- 학대하지 않는다. (학대받은 아기의 뇌 스캔 사진을 보면 시커먼 멍이 들어있다고 한다, 사랑받은 아기보다 뇌 크기도 작다. 지능발달 저하, 폭력성, 마약중독, 우울증 등 정신질환이 생길 수 있다)

영아 및 소아 심폐소생술

영아 및 소아 심폐소생술은 심장이 멈추거나 호흡이 중단된 아기에게 생명을 구하는 중요한 응급 처치이다. 심장 마비로 인한 호흡과 혈액 순환을 유지하기 위해 가슴 압박과 인공호흡을 응급 수행한다. 이는 발견 즉시 대응하고 전문적인 도움 요청도 포함된다.

영아와 소아의 심장은 성인과 크기나 구조적으로 다르다. 따라서 심폐소생술(CPR) 기법도 조금 다를 수밖에 없다.

심폐소생술은 생명 유지를 위한 골든타임이 가장 중요하다, 늦으면 뇌손상이나 장애가 생길 수도 있기 때문이다. 영아와 소아의 심폐소생술 방법을 알아보자.

1) **의식 확인** : 아기를 반듯이 눕히고 가볍게 흔들어 의식을 확인한다. 말하는 아이라면 큰소리로 이름을 불러 반응을 확인한다.

2) **119에 도움요청** : 아기가 의식을 잃었거나 호흡이 없다면, 주변 사람에게 도움을 요청하고 즉시 긴급구조대(119)에 전화한다. (부모가 아닌 경우 119에 먼저 신고해야 나중에 늑골골절 등의 법적인 문제에 휘말리지 않는다)

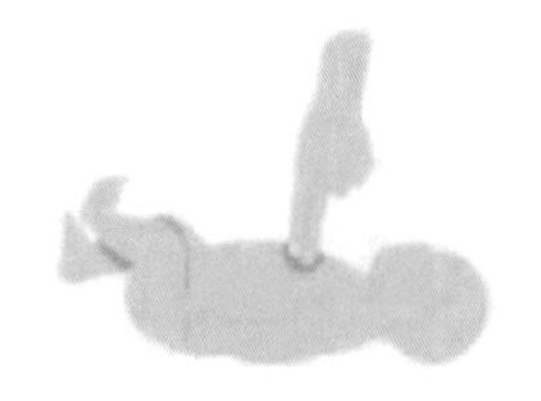

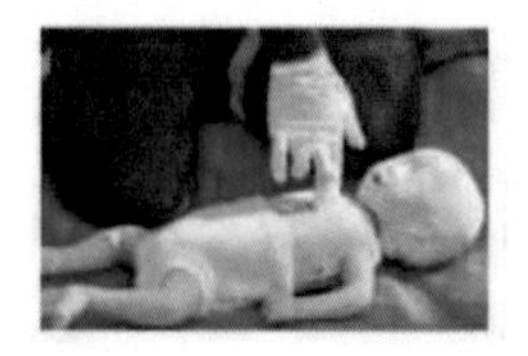

3) **심폐소생술 실시**

- 시술자 1인인 경우- 가슴(흉부)압박과 인공호흡을 30:2 비율로
  시술자 2인인 경우- 15:1 비율로 실시한다.
  (한사람은 가슴압박 다른 한 사람은 인공호흡을 담당한다)

- 가슴압박은 분당 100회, 인공호흡은 분당 8~10회 시행한다.

- 영아의 경우 코와 입을 한꺼번에 막고 인공호흡을 실시한다.

- 1세 미만의 가슴압박은 양쪽 젖꼭지를 연결하는 선과 흉골이 만나는 중앙지점에서 한 손가락 너비 아래 위치를 구조자의 한 손의 2개 손가락을 이용, 분당 100회의 속도로 4cm 깊이로 압박한다.

- 흉부 압박 30회, 인공호흡 2회, 5번 반복하고 상태를 확인한다.
  (30: 2를 5번 반복하는 시간은 2분 정도 소요된다)

· 구급대원이 도착했거나 호흡이 돌아올 때까지 실시한다.

· 압박에 늑골 골절이 발생할 수 있으나 소생 후 치유될 수 있다.

· 미리 동영상 등을 통해 심폐소생술을 숙지해 두면 많은 도움이 된다.

심폐소생술은 응급 상황에서 생명을 보호하기 위한 필수적인 기술이지만, 항상 전문가의 지도와 지침에 따라야 한다. 가능하다면 CPR 교육 프로그램에 참여하여 실제 상황에서 올바른 기법과 절차를 습득하는 것이 좋다.

우리 모두가 이러한 긴급 상황에 대비하여 필요한 기술과 지식을 습득하는 교육을 받는 것이 매우 중요하며, 이에 아기들의 안전과 건강을 보호 할 수 있기를 바란다.

자녀를 영재로 키운
전직 산후관리사가 전하는

육아 실전수업 및 꿀팁

육아도 아는 만큼 쉬워진다.
'부모는 아기의 가장 중요한 첫 번째 교사다.'

Chapter 4

•

아기에게 전하는 무한한 사랑

✦✦ 옷 입히기와 드레스코드

✦✦ 아기에게 말 건네는 방법과 옹알이 발달 과정

✦✦ 엄마품의 기적 캥거루 캐어

✦✦ 감정에 대한 부모의 4가지 유형

옷 입히기와 드레스코드

신생아의 피부는 매우 민감하므로 부드럽고 통기성이 좋은 자연섬유인 천연소재로 100% 면이나 유기농 소재의 의류를 선택하는 것이 좋다. 신생아는 체온 조절 능력이 약하기 때문에 통기성이 좋은 소재를 선택한다.
또한, 신생아의 성장은 빠르므로 옷을 구매할 때 여유로운 것으로 고른다. 너무 작거나 너무 큰 옷은 아기의 움직임과 편안함에 불편을 줄 수 있다.

신생아는 움직임이 제한적이기 때문에 옷을 입히거나 벗기는 과정에서 편리하고 실용적인 디자인을 선택하는 것이 좋다. 단추보다 쉽게 여닫고 몸에 부담 없는 스냅 버튼(똑딱이 단추)으로, 머리가 큰 신생아에게 머리로 끼우는 티셔츠형 옷보다 배냇저고리처럼 앞트임 옷이 편리하다. 시각적 감각 발달 단계를 고려하여 명도가 낮고 부드러운 컬러와 간단한 패턴의 의류를 선택하는 것이 좋다.

신생아 의류는 세탁을 자주 해야 하므로 세탁 및 관리가 용이한 소재와 디자인을 선택하는 것이 좋고, 계절에 따라 얇거나 두꺼운 소재의 의류를 선택하여 아기가 적합한 온도에서 편안하게 지낼 수 있도록 한다.

아기에게 옷을 입히기 전에 실내 환경을 체크한다. 방의 온도를 적절하게 유지하고 바람이나 직사광선으로부터 보호하기 위해 창문이나 에어컨 등을 알맞게 조절한다. 그리고 안전한 위치인 바닥이나 평탄한 표면 위에 아기가 편안하도록 패드나 담요 등을 깐다.

1. 옷 입히기 전 준비하기

새 옷의 태그나 세탁표시는 연약한 아기 피부에 닿는 것을 방지하기 위해 대부분 밖에 부착되어 있지만, 간혹 안쪽에 붙어있을 경우 잘라낸다. 그리고 새 옷에 이물질이나 먼지 등이 묻어 있을 수 있기 때문에 세탁한 후 뽀송하게 말려 입힌다. 신생아는 세탁 후 섬유유연제를 사용하지 않는다.

신생아는 수유할 때 자주 흘리고 게워 내기도 하여 하루에 여러 벌을 갈아입게 된다. 한두 벌의 새 옷은 병원이나 외출할 때 입기 위해 아껴두고, 집에 있을 때 가급적 편안한 옷이나 물려받은 옷들을 막 입힌다.

계절별 옷 두께가 다르며, 신생아는 체온조절이 미숙하므로 여름이라 할지라도 민소매나 짧은 반팔보다 7부를 구입하여 입힌다. 너무 더우면 7부 소매를 접으면 되고, 여름엔 에어컨 등을 켜기 때문에 민소매는 무리다.

신생아의 목과 팔다리는 매우 연약하기 때문에 옷을 입힐 때는 부드럽게 다루어야 한다. 강제로 움직이거나 잡아당길 경우 아기에게 불편함과 손상을 줄 수 있으므로 주의한다.

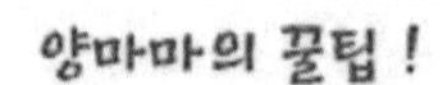

♠ 2주만 산후조리원에 있다가 집에 와도 3주 정도가 됩니다. 이쯤 되면 아기의 팔을 속싸개에 꽁꽁 묶어둘 필요가 없지요. 팔을 움직일 수 있도록 풀어주면 팔 근육이 발달하고, 그로 인해 두뇌그릇은 커지고, 두뇌도 발달합니다. 꽁꽁 묶어 키우겠는지요?

2. 신생아 드레스코드

일반인의 복장선택은 장소와 상황에 맞게, 직업적 전문성과 신뢰도를 나타내며, 일부 장소나 행사장에서는 안전과 보안 규정을 제한하기도 한다. 또 단결성을 위해 동일한 옷을 입어야 할 때도 있다. 그리고 그날의 의상은 예의와 존중의 표현이기도 하며, 분위기에 맞게 선택할 필요도 있다.

신생아의 드레스코드가 있나, 필요할까? 의아해할 텐데, 초보 산모들은 배냇저고리를 벗긴 아기에게 어떤 형태의 옷을 골라야 할지, 어떤 옷이 입히고 벗기기 편할지를 많이 궁금해 한다. 아기 옷의 선택은 안전과 편안함이 최우선이다.

- **배냇저고리 + 속싸개**

배냇저고리를 입히고 속싸개로 싸줄 때는 산부인과나 산후조리원에 있을 경우가 대부분이다. 갓 태어난 신생아에게 엄마 자궁 속과 같은 환경을 만들어서 안정감을 주기 위해 배냇저고리를 입힌 후 팔을 넣고 속싸개로 꽁꽁 싸매어 둔다. 이때는 손/발싸개는 필요 없다.

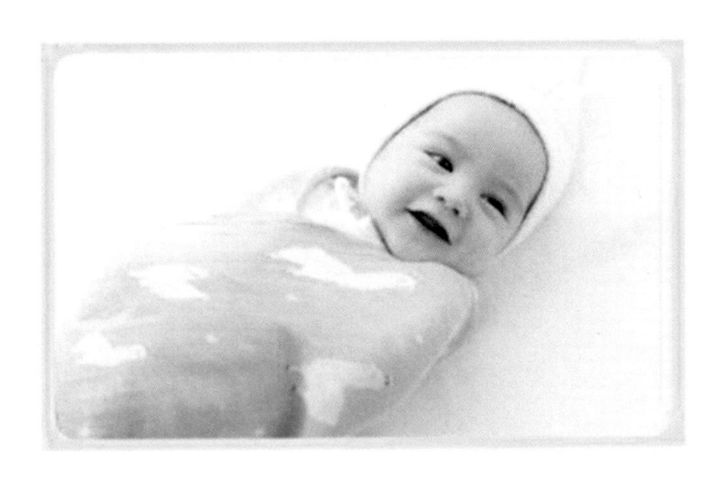

• **배냇저고리 + 바지 + 발싸개**

산후조리원에서 퇴실하면 대부분 생후 17~21일 정도 된다. 조리원처럼 속싸개를 계속하면 초보 엄마·아빠들은 속싸개가 자꾸 풀리고 벗겨져서 아기를 안고 케어 하는데 매우 불안하고 불편해 한다. 이때 배냇저고리에 바지를 입혀주면 속싸개가 벗겨지는 걱정을 덜어버릴 수 있고, 아기를 안정감 있게 안을 수 있다. 이때 신생아의 체온 조절을 위해 발싸개는 해주는 게 좋다.

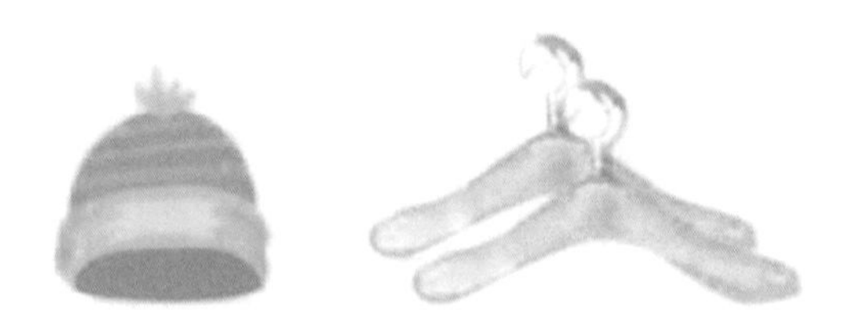

• 앞트임 상하 9/7부 내의(실내복) + 손/발싸개

신생아의 몸 중에 머리둘레가 가장 넓어 머리로 끼우는 티셔츠형 상의는 권하지 않는다. 목둘레가 좁으면 안 들어가고, 넓으면 옷이 처져 보온에 미숙하다. 또 체온조절이 미숙한 아기의 상체를 훌러덩 벗기게 되면 딸꾹질이나 감기에 걸릴 수 있어 한 쪽씩 입힐 수 있는 앞트임 옷으로 준비하는 것이 좋다. 여름엔 7부를 입히고, 손/발싸개를 해주면 된다.

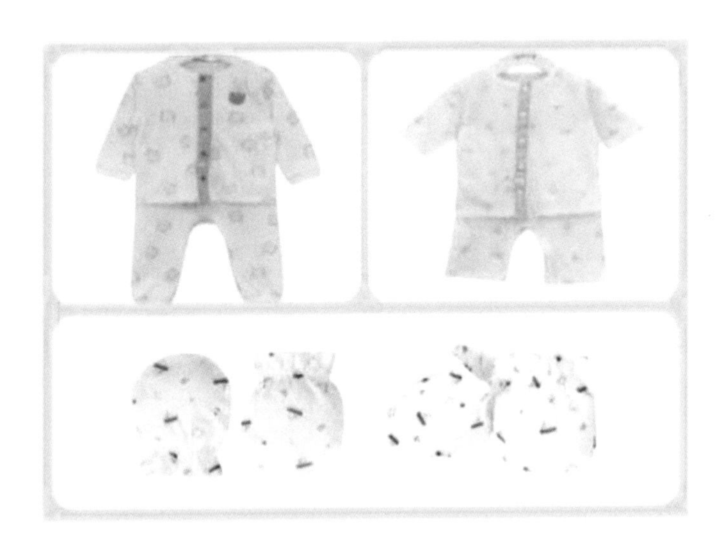

• **배냇수트 + 바지 + 손/발싸개**

아기에게 배냇슈트를 입히고 바지를 입히거나 속싸개로 다리 부분만 감싸주면 된다. 배냇저고리나 상의 내의는 아기를 안으면 자꾸 위로 올라가서 아기 배를 드러내게 되는데 슈트는 아래에 고정하는 기능이 있어 그럴 염려가 없다, 손발에는 손싸개 or 발싸개를 해주면 된다.

- 우주복 7/9부 + 손/발싸개

신생아에게 우주복이 생각보다 편리하다. 속싸개처럼 풀리거나 웃옷이 올라갈 염려 없고, 바지를 벗기지 않고도 젖은 기저귀 확인이 가능하다는 장점이 있다. 체온조절이 미숙한 신생아에게 소매가 없는 옷은 권하지 않으며, 여름엔 7부 소매를 접어주면 된다.

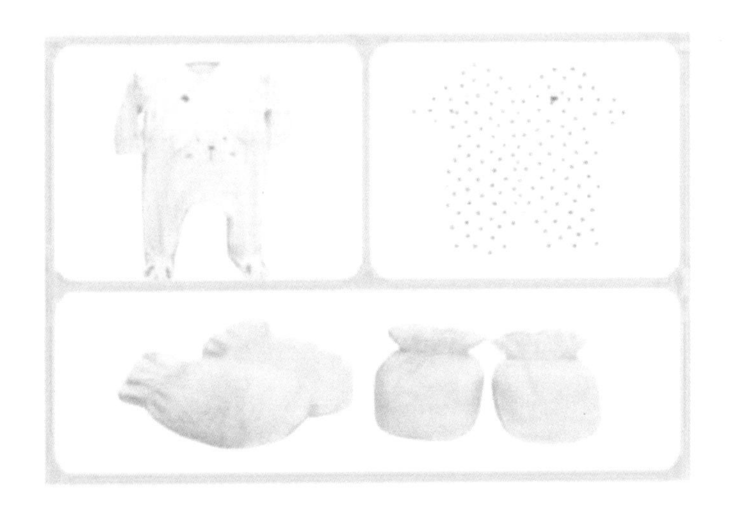

요즘 신생아 옷들은 기능성과 디자인이 아주 다양하게 나와 있다. 엄마만의 개성 있는 스타일로 아기 옷을 코디해서 입혀보길 바란다.

산후조리원에 있다가 집에 오면 아기의 팔은 속싸개로부터 해방시켜 줘라. 신생아 관련 종사자(의사, 간호사, 조리원 등)분들이 '요즘 신생아들은 예전에 비해 성숙하다.'라고 말한다. 꽁꽁 싸매는 것은 옛말이 되었다.

신생아는 생각했던 것보다 빨리 큰다. 대략 넉넉한 80사이즈로, 대신 목은 너무 벌어져 있지 않은 옷을 고른다.

속싸개를 하면 아기 돌봄에 미숙한 새내기 부모들은 자주 풀려 힘들어한다. 수트를 입히면 옷이 올라가지 않아 좋지만 다리가 허전해 싸줘야 한다. 그래서 우주복이 생각보다 편하다. 팔 길이와 두께도 계절에 맞게 많이 나와 있다. 만약 티셔츠형 상의를 준비하실 거면 넉넉해야 아기 팔을 끼우기 쉽다.

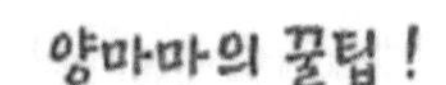

♠ 옛말에 '머리는 차게, 발은 따뜻하게 키워라.'라고 했습니다. 손은 싸개로 씌우지 않더라도 발은 싸개로 씌워주시길 권해요. 엄마들이 손톱으로 얼굴을 긁혀 상처가 될까 염려되어 싸주는데 신생아들은 아침에 난 상처가 저녁이면 다 사그라질 정도로 회복력이 아주 좋습니다.
예쁘게 키우고 싶은 엄마의 마음은 이해하지만 제2의 뇌라고 하는 손을 자주 움직여 감촉을 느낄 기회를 주세요.
손톱은 좀 더 자주 깎아주시면 될 거예요.

3. 신생아 옷 입히는 요령

초보 엄마·아빠 중에는 아기 옷 입히기에 진땀을 흘리는 분이 꽤 많다. 더군다나 가만히 있지 않고 팔은 휘젓거나 꽉 오므리고, 다리는 마구 버둥대기 때문이다. 여기에 울기까지 하면 더 그렇다.

① 입힐 옷(배냇저고리, 앞트임 내의, 우주복 등)을 아기 옆에 미리 준비한다.

② "옷이 젖었네. 우리아기 옷 갈아입자" 등 다음 동작에 대한 말을 먼저 해준다.

③ 체온조절이 미숙한 아기를 무턱대고 다 벗기지 말고 한 쪽씩 벗기며 입힌다.

④ 한쪽 팔을 벗겨 머리 위쪽으로 올리고 새 옷 한쪽 팔을 끼운다.

⑤ 아기의 상체를 조금 들어 입었던 옷을 다 벗기고, 재빠르게 새 옷을 아기등 뒤로 해서 반대쪽 팔을 끼운다.

⑥ 겨드랑이와 앞에 있는 끈을 묶어주거나 단추를 채운다.

⑦ 속싸개를 싸주거나 바지를 입힌다.
⑧ 손/발싸개를 해준다.

⑨ 옷을 다 입혔으면 실내온도에 따라 이불을 한 겹 더 덮어주거나 배앓이 방지를 위해 싸개로 배만 덮어줘도 된다. 여기에 칭찬도 잊지 않는다.

팔을 완벽하게 끼우려 지체하면 아기의 체온이 내려간다. 대충 끼워 놓고 단추 채우고, 하의를 입힌 후 팔을 마저 끼워준다. 아기 스스로 팔을 뻗어 해결되는 경우가 많다. 젖이 묻어 냄새나면 아기도 스트레스를 받으니 자주 갈아입힌다.

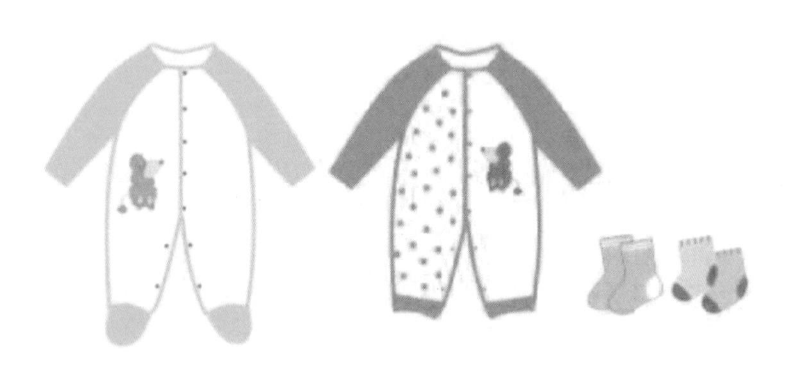

갓 태어난 아기에게 말 건네는 방법

아기를 처음 낳은 부모들은 신생아시기에 아기에게 말을 잘하지 않는다. '아긴데 뭘 알아듣겠어?'하는 생각과 입 밖으로 "엄마야."라고 소리 내어 말하기 어색함도 있으리라 본다. 또 평소에 쓰지 않던 말이라 어떤 말을, 어떻게 해야 할지 가늠하기도 어렵다.

누구나 사랑하는 아기를 잘 키우고 싶어 한다. 아기를 잘 키울 수 있을까? 잘하고 있나? 걱정하며, 아주 열심히 기저귀를 갈아주고, 안아주고, 먹여주는 것만을 한다. 아마 이외 다른 방법을 몰라서 그럴 것이다.

만나는 산모의 큰아이를 보면 5살인데도 말을 잘 못하는 아이가 종종 있다.

어느 산모는 "관리사님, 우리 큰아이 말 못 알아들으시겠죠? 우리 가족이 말수가 워낙 적어서,,,"라고 내게 원인을 알려줬다. 그러나 그 엄마는 여전히 작은아기를 돌보면서도 행동만 열심히 하는 똑같은 실수를 계속했다.

이 산모에게 "말도 처음이 어렵습니다. 자꾸 연습하면 늘어요. 해봅시다."라고 하며 계속 시범을 보여줬더니 아기에게 말하지 않는 동작은 더 이상 하지 않았다.

두뇌발달이니 사회성발달이니 하는 말들은 접어두고서라도 자기 자신을 표현하기 위해서라도 말할 줄 알아야 한다. 더군다나 요즘은 디지털 '화상시대'다. 언어는 많이 들어야 습득이 되는 것이다.

갓 태어난 아기에게 말을 건네는 것은 언어 및 인지발달을 촉진하는 중요한 요소이다. 아기들은 부드럽고 상냥한 목소리를 좋아한다. 부드럽게 말하고, 고요하면서도 사랑과 관심이 담긴 톤으로 얘기해준다.

신생아에게는 기본적인 단순한 단어나 구문을 반복 사용하여 익숙함과 익힘의 기회를 제공해준다. 또 아기들은 리듬과 음악을 좋아한다. 노래를 부르거나 엄마 자신만의 멜로디를 만들어 부르면서 아이와 소통해보라.

아기와 시선을 마주하며, 웃으며, 다양한 표정 변화로 아기와의 상호작용을 즐겁게 만든다. 이때 가급적 "안녕하세요.", "우리 ㅇㅇ이 사랑해요", "잘 잤어요?"와 같이 대화 형식으로 말하는 것도 좋다.

일상생활에서 주변 사물이나 환경에 대해 설명해주면서 배우는 기회를 제공해 준다. 여기에 청각 자극을 위해 소리 나는 장난감, 소리 내는 책, 음악 재생 등으로 호기심과 지각 발달에 도움이 되도록 한다.

아기에게 건네는 말 한마디로 애정과 관심을 전달하게 된다. 따라서 부드럽고 사랑이 가득한 말투로 아기에게 정성스럽게 다가가며, 소통하는 이야기 나눔의 시간을 즐겨라.

다음은 몇 가지 예시일 뿐이다. 엄마·아빠만의 창의적이고 다양한 말들을 아기에게 많이 해주길 바란다.

1. 사랑하는 아기에게 건네는 말

1) 젖이나 분유 줄 때

"ㅇㅇ이 배고팠어?", "맘마먹자", "맛있지?", "맘마 먹고 쑥쑥 크자"

"힘차게 잘 먹네.", "꿀꺽꿀꺽 맛있게 먹는구나!", "고마워!"

2) 기저귀 갈 때

"축축해서 울었구나!", "엄마가 기저귀 갈아줄게.", "물티슈 차갑지?"

"엄마가 기저귀 갈아주면 뽀송뽀송 기분 좋아질 거야."

3) **목욕할 때**

"목욕하자.","지금부터 엄마가 ㅇㅇ이를 깨끗이 씻겨 줄 거야."
"물 따뜻하지?","뽀글뽀글 머리 감자.","울지 않고 아주 잘했어."

4) **잠재울 때**

"ㅇㅇ이 졸리구나!","엄마가 재워줄게.","자장자장 우리아기 잘도 잔다."
"걱정 마. OO이 잘 때도 엄마는 항상 네 옆에 있을 거야"

5) **잠자고 일어났을 때**

"일어났어?","일어나서 혼자 노는 걸 보니 엄마도 기분 좋네."
"잘 잤구나!","음악 틀어줄까?","너 자는 동안 엄마도 조금 잤지."

6) **마사지할 때**

"지금 기분 어때?","마사지하자.","엄마가 ㅇㅇ에게 마사지해 줄게."
머리"어유, 귀여워!",얼굴"우리 OO이 너무 예쁘다.",가슴"너무 사랑해!"
팔다리"쑥쑥, 쭉쭉 크자.","건강하고 튼튼하게 클 거야.","대견하구나!"

7) **병원 갈 때**

"ㅇㅇ이, 엄마와 오늘 병원에 갈 거야.","주사 맞으면 아플 거야."
"많이 울면 ㅇㅇ이 힘들 텐데, 조금만 견디자.","ㅇㅇ이 오늘 너무 잘했어!"

8) **일상대화** (날씨, 계절, 풍경, 감정 등)

"오늘 하늘이 맑아, 해님이 방긋, ㅇㅇ이에게 반갑다고 인사 하네"

"밖에 비가 오네. 빨간우산 든 아줌마, 노랑우산 든 언니 어디 갈까?"
"봄을 알리는 꽃이 피었네. 노랑 개나리, 하얀 목련, 벚꽃까지."
"나뭇잎에 새싹이 우리ㅇㅇ 이처럼 하루가 다르게 쑥쑥 크고 있네."
"뛰뛰빵빵, 저 차들은 어디 가고 있을까? ㅇㅇ이 크면 차타고 놀러 가자."
"우리 거실 설명해 줄게. 앉는 소파도 있고, TV도 있고" 등등
"아빠 오늘 회사에서 점심으로 고기가 나왔는데 졸깃하니 정말 맛있었다."
"아빠 하루 종일 네가 눈에 보여 일 빨리 끝내고 서둘러왔지."
"엄마가 어제 잠을 못 잤더니 너무 피곤하다. ㅇㅇ가 이해 좀 해줘." 등

잠만 자는 신생아 같지만 곧 눈을 뜨는 시간이 길어진다. 이 시간을 이용해 간단명료한 언어로 말을 건네고, 자주 반복하며, 칭찬과 격려의 말도 잊지 마라.

양마마의 꿀팁!

♠ 아기에게 말을 건넬 때는 구체적인 피드백으로 하는 것이 좋아요. 보이는 그대로를 잘 설명해 주면 됩니다.
긍정적인 언어를 사용하며, 말에 의성어 의태어가 들어가면 언어는 더 풍부해집니다.
예) 귀여워→오물오물 하는 입이 귀여워!
예쁘다→깜빡깜빡 거리는 눈이 참 예쁘다. 등

2. 개월별 옹알이 발달과 엄마의 대화 방식

아기와 엄마가 직접 대화를 주고받지 않아도 함께 사랑을 느끼고, 감동하고, 행복해하며, 즐거워한다. 사랑의 표현은 여러 가지가 있기 때문이다. 하지만 대화가 더해진다면 느끼는 행복은 더 클 것이다.

아기의 옹알이 발달과 부모의 대화 방식은 아기가 성장하면서 변화하게 된다. 다음은 일반적인 개월별 옹알이 발달과 엄마의 대화 방식에 대한 가이드이다.

① 생후 0~2개월 : 생리현상(울음, 딸꾹질, 기침, 재채기 등)이나 생물학적("아","어","우"등) 반사에 의해 나오는 소리를 낸다. 이것은 의도적인 언어는 아니다. 이때 부드럽고 안정적인 목소리로 "배고팠어?", "축축하구나!"등 사랑의 감정을 담은 톤으로 수시로 아기와 눈을 맞추며 말을 걸어준다.

② 생후 2~3개월 : 울음소리가 크고 다양해지며, 배고플 때와 졸릴 때, 축축할 때의 울음소리가 각기 다르게 표현된다. 자신이 내는 소리를 듣고 흥미와 재미를 느껴 계속 소리를 낸다. 엄마는 아기

의 옹알이를 따라 해 주고, 언어를 반복적으로 표현해 준다. 또 아기가 내는 소리와 동작에 이름을 붙여 가르쳐준다, 얼굴 표정과 제스처로 소통하는 것도 중요하다.

③ 생후 4~6개월 : 이 시기에는 아기들이 의미 있는 소리를 내는 능력이 증가한다. 혀를 이용해 어느 정도 소리를 조절할 수 있게 되어 자신의 특정한 상태를 나타내는 목적으로 울기도 한다. 이때 엄마는 상황을 구체적으로 언어를 구사해 주면 좋다. 엄마는 감탄사와 칭찬 등 긍정적인 반응으로 아기의 소리에 응답하고, 짧은 문장으로 이야기를 나눈다.

④ 생후 7~9개월 :이때 아기들은 자음과 모음 사이에서 다양한 음운 조합을 만들어 낼 수 있게 된다. 엄마는 부드럽고 명료한 언어로 조급해하지 않고 천천히 말하는 것이 좋다. 일상적인 활동 중에서 사물 이름이나 동작 등을 반복하여 설명해 주면서 언어 습득 과정을 지원한다.

⑤ 생후 10~12개월 : 아기들이 단어를 인지하고 바로 따라 할 수 있는 능력이 생긴다. 이때 엄마는 구체적인 단어와 문장으로 대화를 나눠준다. 아침 인사를 하거나 장난감 이름을 부르며 상호작용하는 것도 좋으며, 짧은 질문-응답 형태로 대화하려 노력한다.

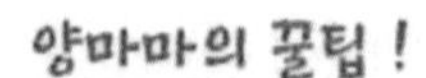

♠ 캥거루케어를 통해서 엄마뿐만이 아니라 아빠와의 애착 관계 형성에 도움이 됩니다. 퇴근하고 돌아온 아빠가 캥거루케어를 함으로써 스트레스 감소와 피로도가 오히려 더 해소되고, 아빠의 육아 참여에도 적극적이 되어 일거다득의 효과를 볼 수 있습니다.

아기와의 행복한 체험을 위해 시도해 보시길 권합니다.

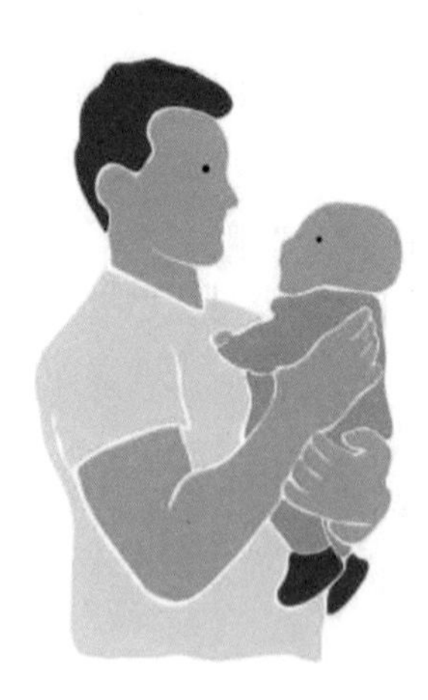

엄마품의 기적 캥거루 캐어

캥거루는 새끼를 낳아 주머니에 넣고 키운다. 임신기간이 비교적 짧아 발달이 완전하지 않은 상태에서 태어나 엄마 주머니 안에서 추가적인 성장과 발달을 지원 받아야한다.

이처럼 조산아나 저체중으로 출생한 아기를 엄마(아빠)의 피부간에 직접적인 접촉을 통해 아기의 건강과 발달을 촉진하는 데 도움을 준다. 주로 가슴에 아기를 안고 피부간의 접촉을 최대화하는 것이 특징이다.

캥거루처럼 매일 아기와 엄마(아빠)가 밀착해서 수십 분씩 배 위에 올려놓고 돌보는 방식으로 우리나라는 산부인과에서 인큐베이터에 있는 미숙아에게 권하기도 한다. 이 캥거루 캐어는 정상아들에게도 해주면 너무 좋다.

1. 캥거루케어의 장점

1) 아기의 호흡, 심장박동수 및 체온을 안정시키는 데 효과적이다.
2) 아기의 면역시스템 발달에 긍정적인 영향을 준다.
3) 옥시토신 효과 때문에 통증을 덜 느낀다.
4) 엄마젖이 잘 돌아 안정적인 모유수유를 할 수 있다.
5) 신체적, 정서적 유대감(애착관계 형성)에 도움이 된다.
6) 아기의 스트레스 완화와 질 좋은 수면에 좋다.
7) 아기의 뇌 발달이 만삭아보다 빠르고, 두뇌발달에 도움 된다.
8) 아기와 엄마(아빠)가 안정감을 함께 느끼며, 긍정적인 영향을 주고받는다.

2. 캥거루 캐어하는 방법

캥거루 캐어는 만삭아의 경우 3개월까지, 미숙아는 1년 정도 하면 좋다.

- 아기와 엄마(아빠)가 함께 완전히 덮을 이불을 준비한다.
- 침대에서는 눕고, 소파에서는 비스듬히 앉아서 실시해도 된다.
- 엄마or아빠는 웃옷을 젖히거나 벗고, 아기는 기저귀만 채운다. 뱃속의 신경물질이 전달되게 하기 위해 옷을 벗는 것이 더 좋다.
- 아기를 엄마or아빠 가슴 위에 올려놓는다.

- 배꼽에서 흉골까지 아기의 피부를 완전히 밀착시킨다.
- 처음에는 5분 정도 짧게 시작해 아기의 반응을 살피면서 시간을 늘려간다.
- 30분~1시간 정도에서 가능하다면 점차 더 늘려도 좋다.

감정에 대한 부모의 4가지 유형

아기의 감정은 전반적인 발달과 행복에 중요한 영향을 미치는 요소이다. 부모의 유형과 태도는 아기의 감정적 상태와 조절 능력을 형성하는 데 영향을 준다.

1. 억압형 : 엇나가는 아이가 된다.

억압형 부모는 아이의 감정을 무시하고, 엄하게 질책한다. 화, 분노 등을 나쁜 감정으로 인식하여 비난하기도 한다. 아이의 감정보다 행동에 초점을 두고 우는 아이 감정을 읽어주기보다 아이의 감정을 잘라 버린다. 이런 경우 의기소침하고, 우울하며, 충동적, 공격적인 행동을 보인다. 억눌린 감정으로 인해 자아존중감이 낮고 엇나가기 쉽다.

정당한 이유나 근거 없이 아이를 통제하려 하거나, 억압 및 격렬한 벌칙 등으로 인해 아동의 정서 발달에 부작용을 초래할 수 있다.

2. 축소전환형 : 버릇없는 아이가 된다.

축소전환형 부모는 기쁨, 즐거움은 좋은 감정이라 여기고 두려움, 슬픔, 분노는 나쁜 감정으로 생각한다. 부정적 감정은 인정하지 않고 축소하여 빨리 없애주려 한다. 이 경우 감정조절이 서툴고 대수롭지 않게 느껴 혼란스러워하며, 감정의 정체를 명확히 알 수 없어 조절이 어려우며 자신감을 잃게 된다.

이 부모는 아이의 활동에 불필요한 개입을 최소화하고, 아이가 실패나 어려움에 스스로 해결할 기회와 자기조절 능력 등을 발달시킬 기회를 주어야 한다.

3. 방임형 : 불안한 아이가 된다.

방임형 부모는 억압형과 축소전환형 부모와 달리 아이의 감정이 좋고 나쁨을 구분하지 않고 허용한다. 아이의 감정은 인정하지만 행동을 좋은 방향으로 이끌어 주거나 한계를 가르치지 못한다. 이런 아이는 기분 내키는 대로 행동하여 대인관계가 어렵고, 행동에 대한 확신이 없어 불안해하고 미숙하며, 열등감이 많고, 자아존중감도 낮으며, 문제해결 능력 또한 낮다.

무관심하고 무감각한 부모는 자신의 어려움, 스트레스 등으로 인해 아동의 감정 상태를 인식하지 못하거나 신경 쓰지 않으려 하는 경향이 있다. 그러므로, 적절한 반응이 없어 아이는 정서 조절 및 사회-감성 발달에 어려움을 겪게 된다.

4. 감정코치형 : 안정된 아이로 자란다.

감정코치형 부모는 방임형 부모와 같이 감정을 받아주되 아이의 행동에 대해 한계를 그어준다. 감정은 좋고 나쁜 모두를 수용하되 행동에 대해 제한할 수 있도록 가르친다. 자신의 감정을 경청, 수용, 지지를 받으면 자신감이 생기고 소중한 존재임을 느끼게 된다.

감정코치형 부모는 아이가 어떤 감정을 경험하더라도 받아들여 주고 이해해 주는 경향이 있다. 또 아이를 위로하고 공감하여 안전한 환경에서 자유롭게 표현할 수 있는 기회를 제공한다.

◈ 부모의 4가지 유형_ 도서 <내 아이의 감정코치> 참조

양마마의 꿀팁 !

♠ 신생아는 '불편함과 좋음' 두 가지 감정을 느낍니다. 기저귀가 젖으면 불편을 해소해 달라고 울고, 배가 부르거나 잘 잤다면 만족한 표정을 짓지요. 초보엄마아빠는 아기의 울음을 감정표현으로 인식하는 게 우선입니다.
아기가 울 때 억압형 부모는 "울지 마.", 축소전환형 부모는 기저귀가 젖어 우는 아이에게 젖을 주며 "괜찮아."라고 합니다. 또 방임형 부모는 말 그대로이며, 감정코치형 부모는 "그랬구나." "배고팠구나." "축축했어?"라며 아기의 감정을 그대로 인정해 주고 받아주지요.

IQ(두뇌지능), EQ(감성지능), SQ(사회지능)을 요구하는 시대, 지능은 양육환경으로 얼마든지 달라질 수 있어요. 부모가 아이의 좋은 감정이든 나쁜 감정이든 인정해 주고, 적절한 한계를 가르쳐준다면 3가지 지능은 아기의 신체와 함께 쑥쑥 자랄 거예요.

'사랑은 돌아오는 거야!'

갱년기가 나를 여기까지 데려왔다.
이때, 무엇을 해도 기분이 처졌다. 쇼핑해도 친구를 만나도 즐겁지 않았다. '이렇게 나이 들어가는 건가? 애들 키워 놓은 거 말고 무엇을 이뤘나?' 자괴감마저 들었다.

학교 기숙사에서 대학원 생활하던 큰아들이 우울한 나를 읽었던지 어느 날 태블릿을 선물로 들고 와서 "어머니, e북 정기권 등록까지 마쳤으니 앞으로 이것으로 책을 읽으세요. 글자 크기도 조절할 수 있고, 읽어주는 기능도 있어서 책 읽는 데 불편함이 덜하실 겁니다."라며 사용법까지 자상하게 안내하기 시작했다.

처음 접하는 익숙하지 않은 전자기기를 들고 책을 읽자니 어색했지만, 아들의 성의를 생각하며 시간 나는 대로 읽었다. 그 덕에 갱년기의 허무함이 줄어들고, 책을 쓰겠다는 생각과 용기를 갖게 되었다.
이렇게 **사랑은 돌아왔다.**
아이들이 어렸을 때 칭찬과 격려를 해줬던 것처럼, 내가 힘들 때 두 아들들의 격려와 칭찬으로 한 권의 책을 출간하게 된 것이다.

내 부모님은 육남매를 존중하며 무한한 사랑으로 키워주셨다.
아버지께서는 흐트러진 모습을 보인 적 없으셨고, 박학다식하셨으며, 딸 넷을 두 아들보다 더 예뻐해 주셨다. 또 어머니께서는 현명하고 지혜로우셨으며, 음식솜씨는 타의 추종을 불허하실 정도였고, "너는 똥도 버리기 아까워야."라는 칭찬도 아끼지 않는 분이셨다.
이런 사랑을 받았기에 두 아들에게 비슷하게나마 노력했던 것 같다.
"아버지, 어머니, 이 밤에 너무나 보고 싶습니다. 다시 뵐 수 없는 곳에 계시기에 더 그립군요. 두 분 존경하며, 사랑합니다."
이 책을 두 분께 바칩니다.

산후관리 대리점을 운영하던 친구가 "넌 애들을 공부하면서 키웠으니 이 일을 잘할 수 있을 거야."라는 설득 끝에 산후관리사 전문교육을 받게 되었다. 운 좋게도 사임당 교육 시스템이 잘 갖춰져 있었고, 교육을 맡았던 아이연구소 곽윤철 소장의 육아에 대한 철학이 확고했으며 평소 내 생각과 잘 맞아떨어졌다.

다년간 갓 태어난 아기와 산모들을 만나면서 두 아들을 키워낸 경험과 노하우를, 교육받은 지식과 정보를 전달하는 일에 보람을 느끼며 사명감이 샘솟았고 즐거웠다.
그동안 만난 아기들에게 감사함을 전한다.

묵묵히 지켜봐 준 남편과 응원을 아끼지 않은 두 아들에게 책 출간의 공을 돌린다.

향기 품은 꽃은 활짝 피고,

비가 부슬부슬 내리는

어느 봄날!

엄마와 아기가 행복한 육아
(아기를 위한_실전편)

저 자 채성희 (양마마)
저자 이메일 ymamaidol@naver.com
저자 인스타그램 @yangmama_idol
저자 리틀리 https://prfl.link/@yangmama
저자 유튜브 양마마TV
기획편집 채성희

발 행 2024년 5월 14일
펴낸이 한건희
펴낸곳 주식회사 부크크
출판등록 2014.07.15.(제2014-16호)
주 소 서울특별시 금천구 가산디지털1로 119 SK트윈타워 A동 305-7호
전 화 1670-8316
이메일 info@bookk.co.kr

ISBN 979-11-410-8415-8
판매가 26,700원

www.bookk.co.kr